SORCIÈRE DE SANG

Livre trois

sorcière

SORCIÈRE DE SANG

Cate Tiernan

Traduit de l'anglais par
Lyse Deschamps

ADA JEUNESSE

Titre original anglais : Sweep : Blood witch

Éditeur : François Doucet
Traduction : Lyse Deschamps
Révision linguistique : Caroline Bourgault-Côté
Correction d'épreuves : Nancy Coulombe, Marie-Yann Trahan
Montage de la couverture : Tho Quan
Photo de la couverture : © istockphoto
Mise en pages : Sébastien Michaud
ISBN Papier 978-2-89667-409-1
ISBN PDF numérique 978-2-89683-061-9
ISBN ePub 978-2-89683-655-0
Première impression : 2010
Dépôt légal : 2010
Bibliothèque et Archives nationales du Québec
Bibliothèque Nationale du Canada

Éditions AdA Inc.
1385, boul. Lionel-Boulet
Varennes, Québec, Canada, J3X 1P7
Téléphone : 450-929-0296
Télécopieur : 450-929-0220
www.ada-inc.com
info@ada-inc.com

Diffusion

Canada :	Éditions AdA Inc.
France :	D.G. Diffusion Z.I. des Bogues 31750 Escalquens — France Téléphone : 05.61.00.09.99
Suisse :	Transat — 23.42.77.40
Belgique :	D.G. Diffusion — 05.61.00.09.99

Imprimé au Canada

Participation de la SODEC.
Nous reconnaissons l'aide financière du gouvernement du Canada par l'entremise du Programme d'aide au développement de l'industrie de l'édition (PADIÉ) pour nos activités d'édition.
Gouvernement du Québec — Programme de crédit d'impôt pour l'édition de livres — Gestion SODEC.

À mon cercle, avec amour !

1

Secrets

4 mai 1978

Aujourd'hui, pour la première fois, j'ai aidé Ma à tracer le cercle pour Belwicket. Le moment venu, je serai grande prêtresse. Je présiderai alors les cercles, comme Ma le fait maintenant. Déjà, des gens viennent me voir pour que je leur crée des charmes et des potions, et je n'ai que dix-sept ans ! Ma dit que c'est parce je possède le don de vision des Riordan, le pouvoir des Riordan, comme ma grand-maman. Ma maman est une sorcière très puissante, plus forte que toutes les sorcières de Belwicket. Elle dit que je serai plus forte encore.

Et alors quoi ? Qu'est-ce que j'accomplirai ? Je ferai en sorte que nos moutons soient plus en santé ? Que nos champs soient plus fertiles ? Je guérirai nos poneys quand ils seront estropiés ?

Je me pose tellement de questions. Pourquoi aurais-je un tel pouvoir, le pouvoir de déplacer les montagnes ? Le Livre des ombres de ma grand-mère dit que notre magye ne doit servir qu'ici, dans ce village, dans ce coin de notre pays si éloigné des autres villes et cités. Est-ce la vérité ? Peut-être la Déesse a-t-elle pour moi des ambitions, mais je ne vois pas de quoi il s'agit.

— Bradhadair

Durant un long moment, le nom est resté suspendu dans l'espace, devant moi, se tortillant sous mes yeux tel un insecte noir : Bradhadair ! Également connue comme ma mère biologique, Maeve Riordan. Je tenais son Livre des ombres, entamé le jour où elle avait intégré le cercle de sa mère, à l'âge de quatorze ans. Son nom wiccan, Bradhadair, était un mot gaélique signifiant l'enflammeuse. Et je lisais des mots écrits de sa main.

— Morgan ?

Surprise, j'ai levé les yeux. Puis j'ai senti un pincement d'inquiétude.

Mon petit ami, Cal Blaire, et sa mère, Selene Belltower, se tenaient dans l'embrasure de la porte de la bibliothèque secrète. Je voyais leurs silhouettes à contre-jour, à cause de la lumière du corridor. Leurs visages étaient des masques inexpressifs dans l'obscurité.

La gorge serrée, j'avais du mal à respirer. J'étais entrée là sans permission. En plus de faire attendre Cal et nos copains, j'avais fureté sans autorisation dans un coin privé de la maison de Selene. Je n'étais pas censée être là, en train de lire ces livres. Ça, je le savais. Honteuse, j'ai senti le feu me monter au visage.

Hélas ! je ne pouvais rien dire pour ma défense. Je crevais d'envie d'en apprendre davantage… sur la Wicca, sur ma mère biologique. Après tout, je venais tout juste de découvrir des secrets à peine croyables : j'avais été adoptée et ma mère biologique, une sorcière puissante, avait été assassinée, brûlée à mort dans une grange. Tant de questions demeuraient sans réponses. Et voilà que je venais de mettre la main sur le Livre des ombres de Maeve Riordan : un livre personnel, rempli de réflexions, de rêves et de formules magyques, la clé de sa vie la plus intime. Si les réponses que je cherchais se trouvaient quelque part, c'était dans ce livre. Inconsciemment – malgré la culpabilité –, j'ai serré son livre à deux mains.

— Morgan ? a répété Cal. Qu'est-ce que tu fais ici ? Je t'ai cherchée partout.

— Je suis désolée, ai-je dit précipitamment, tout en cherchant une bonne explication pour ma présence en ce lieu. Euh...

— Les autres sont déjà partis au cinéma, m'a interrompue Cal, d'une voix plus dure. Je leur ai dit que nous irions les rejoindre, mais il est trop tard à présent.

J'ai regardé ma montre. Il était 20 h. Le cinéma était à au moins 20 minutes, et le film commençait à 20 h 15. J'ai avalé ma salive avant de reprendre :

— Je suis vraiment désolée. J'ai seulement…

— Morgan, a dit Selene en s'avançant vers moi.

C'était la première fois que je remarquais des rides de tension sur son visage si jeune, comme sur celui de Cal.

— Tu es dans mon refuge privé. Personne n'a le droit d'entrer ici, à part moi.

J'avais les nerfs à vif. Sa voix était calme, mais je sentais qu'elle refoulait sa colère. Je m'étais mis les pieds dans les plats ! Je me suis levée et j'ai refermé le livre.

— Je… je sais que je n'ai rien à faire ici, et je n'ai jamais eu l'intention de m'immiscer dans votre vie privée. Mais… je traversais le corridor quand je me suis appuyée contre cette porte, qui a cédé sous mon poids. Une fois à l'intérieur, je n'ai pu m'empêcher de regarder tous vos trésors. C'est la bibliothèque la plus incroyable…

Selene et Cal m'observaient. Je n'arrivais pas à lire dans leurs yeux, pas plus que je ne pouvais deviner ce qui leur passait par la tête, et cela me rendait encore plus nerveuse. Je ne mentais pas, mais ne leur avais pas tout dit non plus. J'avais surtout voulu éviter de rencontrer Sky Eventide et Hunter Niall, deux sorciers anglais qui étaient là ce soir, pour prendre part au cercle de Selene. Inexplicablement, ces deux invités m'avaient remplie d'effroi. En les entendant approcher dans le corridor, j'avais voulu les éviter et je m'étais malencontreusement appuyée à la porte de la bibliothèque secrète. C'était tout à fait accidentel.

Je me disais : c'est vrai. C'était un accident. Rien dont je peux avoir honte. D'autant que je n'étais pas la seule à devoir une explication. J'avais quelques questions à poser à Selene.

— Ceci est le Livre des ombres de Maeve Riordan. Je l'ai découvert moi-même, ai-je repris d'une voix forte, dure à mes oreilles. Comment se fait-il que vous possédiez ce livre? Vous saviez tous les deux que j'essayais de connaître son histoire. N'avez-vous pas pensé que j'aurais aimé voir un objet qui a appartenu à ma mère?

Cal, l'air surpris, s'est tourné vers sa mère.

Selene a refermé la porte derrière elle, nous enfermant tous les trois dans sa pièce secrète. Aucune personne déambulant dans le corridor n'aurait pu deviner le contour quasi invisible de cette porte. Puis elle s'est approchée, les sourcils froncés.

— Je sais que tu essayais de découvrir la vérité sur ta mère, a-t-elle commencé.

Dans le halo doré de la lampe, j'ai cru voir s'adoucir l'expression de son visage. Elle a regardé le livre et m'a demandé :

— En as-tu lu beaucoup ?

— Pas beaucoup, ai-je répondu, me mordillant la lèvre.

— As-tu lu des extraits surprenants ?

— Pas vraiment, ai-je répondu, surveillant son expression.

— Eh bien, un Livre des ombres est quelque chose de très personnel. On y révèle des secrets, des pensées inattendues. J'attendais avant de t'en parler, parce que je sais ce qu'il contient et je ne savais pas si tu étais prête.

Sa voix était devenue un murmure.

— Je ne suis toujours pas sûre que tu sois prête, mais il est trop tard.

J'avais le visage crispé. J'avais peut-être violé un coin privé de sa demeure, mais j'avais le droit de connaître l'histoire de ma mère.

— Mais ce n'est pas vraiment à vous de décider si je suis prête, ai-je objecté. Je veux dire, c'était *ma* mère. Son Livre des ombres devrait me revenir. C'est ce que vous êtes censés faire avec les Livres des ombres, les remettre à vos enfants. Celui-ci est à moi.

Selene a cligné des yeux en m'entendant parler ainsi avec tant de fermeté. Elle a regardé Cal, mais il me regardait. Une fois de plus, mes doigts se sont mis à picoter en caressant le couvert de cuir usé du fameux livre.

— Alors, expliquez-moi pourquoi ce livre est ici ?

— Je l'ai eu par hasard, a dit Selene, un sourire fugace sur les lèvres… quoique, évidemment, la majorité des sorcières ne croient pas au hasard. J'ai un passe-temps qui consiste à collectionner les Livres des ombres. Vraiment. Je collectionne à peu près n'importe quel livre ayant trait à la sorcellerie, comme tu peux voir, a-t-elle poursuivi en montrant les rayons de livres d'un geste élégant de la main. Je fais affaire avec différents revendeurs, majoritairement en Europe, qui ont pour mot d'ordre permanent de m'expédier tous les livres intéressants sur lesquels ils peuvent mettre la main — n'importe quel Livre des ombres, en bonne ou en mauvaise condition. Je les trouve fascinants. Je les emporte avec moi où que nous allions, et je les garde dans mon bureau personnel. C'est d'ailleurs ce que j'ai fait lorsque nous avons emménagé ici à la fin de l'été. Pour moi, ils sont une fenêtre sur la part humaine de la sorcellerie. Ce sont des journaux, des dossiers remplis d'expériences ; ce sont les histoires des gens. Je possède plus de 200 Livres des ombres, et celui de Maeve Riordan en est un parmi tant d'autres.

J'attendais qu'elle élabore un peu, mais elle ne l'a pas fait. Sa réponse me paraissait étrangement tenir du voyeurisme, surtout de la part d'une grande prêtresse, de quelqu'un qui, dans tous les cas, était tellement proche des sentiments des gens. Elle ne pouvait ignorer que le Livre des ombres de Maeve Riordan n'était pas seulement un livre parmi tant d'autres ! À tout le moins, pas pour moi.

La culpabilité et la nervosité que j'avais d'abord ressenties cédaient maintenant la place à la colère : Selene avait lu les réflexions intimes de ma mère… Mais au même moment, Cal a traversé la pièce et a mis sa main sur mon épaule, qu'il caressait doucement. J'en ai déduit que cela voulait dire qu'il était de mon côté, qu'il comprenait. Alors, pourquoi sa mère ne comprenait-elle pas ? Pensait-elle que j'étais trop jeune pour vivre avec les secrets de ma mère ?

– Où avez-vous pris *ce* Livre des ombres, ai-je demandé avec insistance.

– D'un revendeur de Manhattan, a dit Selene.

Une fois encore, il m'était impossible de déceler quoi que ce soit dans le ton de sa voix.

– Le revendeur l'avait acheté de quelqu'un d'autre ; quelqu'un qui n'avait pas de pièces d'identité, qui l'avait peut-être volé ou trouvé dans un magasin de livres usagés quelque part. Elle a haussé les épaules. Je l'ai acheté il y a environ 10 ou 11 ans, sans l'avoir vu. Lorsque je l'ai ouvert, j'ai compris que c'était celui de la jeune sorcière dont j'avais entendu parler par les journaux, qui était morte dans un incendie, pas loin d'ici. C'est un Livre des ombres spécial, et pas seulement parce que c'est celui de Maeve Riordan.

— Je vais l'apporter chez moi, ai-je dit sur un ton sans réplique qui m'a étonné moi-même.

Pendant un long moment, il y a eu un lourd silence dans la pièce. De nouveau, mon cœur s'est mis à battre la chamade. Je n'avais jamais défié la mère de Cal jusque-là ; j'avais d'ailleurs rarement défié les adultes… et elle était une sorcière puissante. Cal clignait des yeux, pris entre elle et moi.

— Bien sûr, ma chère, a fini par dire Selene. Il est à toi.

J'ai lâché un soupir silencieux. Et Selene a ajouté :

— Après que Cal m'a eu raconté ton histoire, j'ai su que j'allais te le donner un jour. Si, quand tu l'auras lu, tu as des questions ou des inquiétudes, j'espère que tu viendras m'en parler.

J'ai fait signe que oui, en marmonnant :

— Merci.

Puis je me suis tournée vers Cal et j'ai ajouté d'une voix tremblante :

– Tu sais, tout ce que je désire à présent, c'est rentrer chez moi.

– OK, a répondu Cal. Je vais te raccompagner. Allons chercher nos manteaux.

Selene s'est reculée pour nous laisser passer. Elle est restée dans le bureau, probablement pour tâcher de voir tout ce que j'avais pu toucher ou examiner. Je n'aurais pu l'en blâmer. Je ne savais plus quoi penser. Je n'avais jamais voulu abuser de sa confiance, mais je n'aurais pu dire que ma curiosité n'avait pas été récompensée : je possédais maintenant une preuve intime de la vie de ma mère biologique, écrite de sa main. Peu m'importaient les mystères que ce livre pouvait receler, je savais que j'étais prête à faire face à la musique. Il le fallait.

Pendant que nous longions le corridor, Cal exerçait une petite pression sur mon épaule pour me rassurer.

Dehors, le vent de novembre soufflait dans mes cheveux que j'ai tenté de repousser de mon visage. Cal a ouvert la portière de sa voiture et j'y suis montée, frissonnant de plus belle en m'assoyant sur le siège de cuir gelé. J'ai enfoncé mes mains dans mes poches. Je tenais le Livre des ombres sur mon cœur, sous mon manteau.

— J'ai mis le chauffage, ça va prendre une minute, a dit Cal en tournant la clé dans le contact et en poussant quelques boutons.

Son beau visage n'était plus qu'un vague profil dans la nuit noire. Puis, il s'est tourné vers moi et m'a effleuré la joue. J'ai été surprise par la chaleur de sa main.

— Est-ce que ça va?

J'ai fait signe que oui, mais je n'en étais pas certaine. J'étais contente qu'il me pose la question, mais j'étais remuée par le mystère du livre, et toujours mal à l'aise par rapport à ce qui s'était passé avec Selene.

— Je n'avais pas l'intention d'espionner ou de fouiller partout, ai-je répété.

Je disais la vérité, mais tout cela semblait encore moins convaincant répété une seconde fois.

Il s'est tourné vers moi en s'engageant dans la rue principale.

— Cette porte est fermée par un sortilège, a-t-il dit pensivement. Il faut encore que je demande la permission à ma mère pour y entrer ; je n'ai jamais été capable d'ouvrir cette porte tout seul, et crois-moi, j'ai essayé.

Il a souri, et ses dents blanches ont brillé dans le noir.

— C'est bizarre, ai-je répliqué en fronçant les sourcils. Je n'ai même pas essayé de l'ouvrir ; elle a simplement cédé et j'ai failli perdre pied.

Cal n'a pas répondu. Il se concentrait sur la route. Peut-être essayait-il de comprendre comment j'avais pu pénétrer dans ce lieu, si j'avais pu utiliser quelque formule magyque. Mais je n'avais rien fait de tel, à tout le moins pas consciemment. Peut-être étais-je destinée à trouver mon chemin jusqu'à ce bureau, à découvrir le livre de ma mère.

La neige s'était mise à tomber ; elle balayait le pare-brise sans s'accumuler nulle part. Elle n'y paraîtrait plus le matin venu. J'avais hâte d'être chez moi, de courir dans ma chambre et de commencer à lire. Pour une raison ou une autre, mes pensées se tournaient vers Sky Eventide et Hunter Niall. Je les avais spontanément détestés tous les deux : leurs regards perçants, leur accent anglais hautain, leur façon de nous regarder, Cal et moi.

Mais pourquoi ? Qui étaient-ils ? Pourquoi m'avaient-ils semblé si importants ? J'avais vu Sky une seule fois auparavant, dans le cimetière, quelques jours plus tôt. Et Hunter ! Hunter me dérangeait à un point que je ne pouvais m'expliquer. J'y pensais toujours lorsque Cal a garé sa voiture dans l'allée et a arrêté le moteur.

— Est-ce que tes parents sont à la maison ?

J'ai fait signe que oui.

— Ça va aller ? Veux-tu que je vienne avec toi ?

— Ça va, ai-je répondu, même si j'appréciais son offre. Je crois que je vais monter et passer la soirée à lire.

— OK. Écoute, je reste à la maison ce soir. Appelle-moi si tu as envie de parler.

— Merci, ai-je dit en me collant contre lui.

Nous nous sommes embrassés longuement. C'était si délicieux que, momentanément, j'ai oublié toute la confusion et l'incertitude que suscitait en moi mon affrontement avec Selene. Finalement, à contrecœur, je me suis détachée de lui et j'ai ouvert la portière.

— Merci, ai-je répété. Je vais te téléphoner.

— OK ! sois prudente, a-t-il ajouté en souriant.

Puis il a attendu que je sois rentrée avant de démarrer.

— Bonsoir ! Je suis là !

Mes parents regardaient un film dans le séjour.

— Tu rentres tôt, a dit maman en regardant l'horloge.

J'ai haussé les épaules.

— On a raté l'heure du film, ai-je expliqué, alors j'ai décidé de rentrer. Bon, je serai dans ma chambre.

J'ai grimpé l'escalier en volant presque, puis laissant tomber mon manteau, je me suis installée sur mon lit. J'ai déniché un numéro de la revue *Scientific American*, que j'ai laissé à portée de main au cas où j'aurais besoin de soustraire mon Livre des ombres à la vue d'un intrus. J'en étais arrivée à une trêve avec mes parents en ce qui avait trait à la Wicca, à ma mère biologique et à toute cette déception. Il était préférable de ne pas compromettre ce fragile équilibre. Je ne voulais pas avoir à expliquer quoi que ce soit qui aurait risqué de leur faire de la peine.

Les réflexions personnelles de Maeve Riordan, pensais-je...

Les mains tremblantes, j'ai ouvert le Livre des ombres de ma mère et j'ai commencé à lire.

2

La route Picketts

Quoi écrire ? Sur moi, la pression est si grande qu'elle me martèle la tête. Jusqu'à tout récemment, j'ai toujours voulu faire ce qu'il fallait. Maintenant, pour la première fois, ces deux chemins divergent. Elle s'épanouit telle une orchidée : passant de la plante ordinaire à quelque chose de terriblement beau, une fleur qui ne demande qu'à être cueillie.

Mais maintenant, d'une certaine manière, cette pensée me dérange. Je sais que c'est bien, que c'est nécessaire et inéluctable. Et je sais que je le ferai, mais ils me harcèlent sans discontinuer. Rien ne se passe comme je l'avais imaginé. J'ai *besoin de plus de temps pour l'attacher à moi, pour la rejoindre mentalement, émotionnellement, afin qu'elle puisse lire dans mes yeux. Je me surprends même à aimer l'idée de me fondre en elle. Je parierais que la Déesse rit de moi.*

Pour ce qui est de la sorcellerie, j'ai découvert une variante de Hellorus, qui décrit comment s'asseoir au pied d'un chêne peut faire plier la volonté d'Eolh. Je veux tenter le coup très bientôt.

— Sgàth

Samedi matin, je n'étais pas debout à l'heure des poules. J'étais restée éveillée jusqu'aux petites heures, pour lire le Livre des ombres de Maeve Riordan. Elle avait 14 ans lorsqu'elle l'a amorcé. Jusqu'ici, je n'avais pas bien compris ce que Selene avait voulu dire en parlant de quelque chose de surprenant. Mis à part des mots gaéliques imprononçables et des tas de formules et de recettes magiques, je n'avais rien trouvé de vraiment dérangeant ou d'étrange. Je savais que Maeve Riordan et Angus Bramson, mes parents biologiques, étaient morts carbonisés, après leur venue en Amérique. Mais j'ignorais pour quelle raison. Peut-être ce livre me fournirait-il l'explication que je cherchais. Mais je lisais lentement, car je voulais savourer chaque mot.

Quand enfin je me suis levée et suis descendue à la cuisine, j'avais les yeux comme deux petites fentes. Je me suis traînée jusqu'au frigo pour y prendre un soda.

Je me préparais des *Pop Tarts* quand maman et Mary K. sont rentrées, après avoir fait une petite marche de santé dans l'air vif de novembre.

— Ouah ! a dit maman, le nez tout rose, en frappant ensemble ses mains gantées. C'est frisquet dehors !

Elle m'a donné un baiser sur la joue ; ses cheveux froids m'ont frôlé le visage et j'ai tressailli.

— Mais c'est très joli, a ajouté Mary K. La neige commence à fondre, et tous les écureuils et les oiseaux sont au sol, cherchant quelque chose à manger.

J'ai levé les yeux au ciel. Il y a vraiment des gens qui sont de trop bonne humeur le matin. Ce n'est pas normal.

— Parlant de manger, a dit maman en enlevant ses gants et en s'assoyant face à moi, pourriez-vous faire un petit saut à l'épicerie ce matin, les filles ? Je dois faire visiter une maison à 10 h 30, et le garde-manger est presque vide.

— Bien sûr, ai-je répondu en révisant mentalement mon emploi du temps. As-tu fait une liste ?

Maman a pris sa liste sur le frigo pour la compléter. Mary K. a mis le dernier bagel dans le grille-pain. Lorsque le téléphone a sonné, elle s'est jetée dessus.

J'ai pensé : *Cal*, et mon cœur s'est mis à battre plus vite. C'était comme une bouffée de bonheur.

— Allô, a répondu Mary K., à la fois pleine d'entrain et à bout de souffle. Oh, salut…ouais, elle est ici. Une seconde.

Puis elle m'a tendu l'appareil en murmurant : « Cal ».

Je le savais. Depuis que j'avais découvert la Wicca, depuis que j'avais découvert

Cal, j'avais toujours deviné qui était au bout du fil.

— Salut, ai-je dit dans le combiné.

— Comment vas-tu ? Es-tu restée éveillée toute la nuit pour lire ?

Il me connaissait.

— Oui… J'aimerais t'en parler, ai-je dit, consciente que ma mère et ma sœur étaient tout près, d'autant que je voyais Mary K. se tenir le cœur à deux mains et faire semblant de tomber en pâmoison.

J'ai froncé les sourcils.

— Bien, ce serait super, a-t-il répliqué. Tu aimerais aller à la boutique cet après-midi ?

Il parlait de Magye pratique, une boutique qui avait pignon sur rue à Red Kill, la ville voisine ; un endroit qui m'était cher et où j'adorais passer une heure ou deux.

— J'en serais ravie, ai-je ajouté en souriant, tous mes sens en éveil.

— Je passerai te prendre… disons, à 13 h 30 ?

— OK ! À tantôt.

J'ai raccroché. Ma mère a abaissé son journal et m'a regardée par-dessus ses lunettes de lecture.

— Quoi ? ai-je dit d'un air emprunté, en souriant de toutes mes dents.

— Ça se passe bien avec Cal ?

— Hum, hum, ai-je répondu, en me sentant rougir.

C'était bizarre de parler de mon petit ami avec mes parents, surtout en sachant que c'était lui qui m'avait initiée à la Wicca. J'avais toujours discuté de ma vie avec maman et papa sans problème, mais la Wicca était la partie qu'ils auraient préféré oublier à tout jamais. Cela avait érigé un mur entre nous.

— Cal me semble charmant, a dit maman d'un ton enjoué, essayant de me mettre à l'aise tout en espérant repêcher quelques détails par la même occasion. En tout cas, il est très beau garçon.

— Hum… ouais, il est super sympa. Il faut que je prenne ma douche, ai-je marmonné en me levant. Ensuite, nous irons faire les emplettes.

Et je me suis sauvée.

* * *

— OK, premier arrêt, le café du coin, a ordonné Mary K. une demi-heure plus tard en pliant la liste d'épicerie de maman puis en la mettant dans sa poche.

J'ai garé Das Boot — ma vieille voiture, aussi massive qu'un sous-marin — dans le stationnement de l'unique centre commercial de Widow's Vale qui pouvait se vanter d'avoir un petit café digne de ce nom. En sortant de la voiture, nous nous sommes précipitées vers le petit commerce qui embaumait le café et les pâtisseries. J'ai jeté un coup d'œil au panneau du menu et j'ai tenté de choisir entre un grand latté et un grand spécial du jour. Mary K. était penchée au-dessus du comptoir vitré et regardait les viennoiseries avec envie. J'ai vérifié si j'avais assez d'argent.

— Prends-en une si tu veux, c'est ma tournée. Une pour moi aussi.

Ma petite sœur m'a gratifiée d'un large sourire, et à nouveau, je me suis fait la réflexion qu'elle paraissait plus vieille que ses 14 ans. À cet âge, bien des adolescentes ont l'air empoté ; à moitié formées, elles ressemblent encore à des petites filles. Ce n'était pas le cas de Mary K. : elle était futée et très mature pour son âge. Pour la première fois depuis longtemps, j'ai pris conscience que j'avais de la chance qu'elle soit ma sœur, même si nous n'étions pas liées par le sang.

La cloche a sonné lorsque la porte s'est ouverte. Bakker Blackburn est entré, suivi de Roger, son frère aîné, qui était en dernière secondaire au collège de Widow's Vale, l'année dernière. Il fréquentait maintenant Vassar. J'ai senti mon ventre se crisper. Mary K. a levé les yeux, les a écarquillés, puis très vite a regardé ailleurs.

— Hé, Mary K., Morgan, a marmonné Bakker, tout en évitant de me regarder.

Sans doute me haïssait-il. Une semaine plus tôt, je l'avais sorti de chez nous sans ménagements, lorsque je l'avais surpris en train d'immobiliser Mary K. sur son lit, sur le point de la violer. Sans doute croyait-il aussi que j'étais une extraterrestre, puisque je l'avais fait tomber à la renverse à l'aide d'un rayon bleu qui tenait de la sorcellerie, sans même que je l'aie voulu. Je ne comprenais toujours pas comment j'avais pu faire ça. Mon propre pouvoir ne cessait de me surprendre.

Mary K. lui a fait un signe de tête. De toute évidence, elle ne savait pas quoi dire.

— Allô Roger, ai-je dit.

Roger avait deux ans de plus que moi, mais Widow's Vale est une petite ville et tout le monde connaît tout le monde.

— Comment ça va ?

— Pas mal, a-t-il répondu avec un haussement d'épaules.

Bakker avait toujours les yeux rivés sur Mary K.

— Il faut y aller, ai-je lancé en me dirigeant vers la sortie.

Mary K. a hoché la tête, mais elle a pris son temps pour me suivre à l'extérieur. Peut-être voulait-elle secrètement voir si Bakker dirait quelque chose. Comme de fait, il s'est approché d'elle.

— Mary K., a-t-il commencé d'un air contrit.

Elle l'a regardé, mais s'est retournée et m'a rejointe sans prononcer un mot. J'étais soulagée. Je savais qu'il avait déployé de gros efforts pour se faire pardonner depuis l'incident, et je voyais bien que Mary K. était sur le point de flancher. J'avais peur, si je lui parlais trop durement, de la repousser aussi vite dans ses bras. Je me suis donc tue. Je m'étais cependant fait la promesse, si j'avais le moindre soupçon qu'il continuait à la harceler, de le dire à mes parents, à ses parents et à tout le monde que je connaissais.

Et il était probable que Mary K. ne me le pardonnerait jamais, ai-je pensé en remontant dans la voiture.

La seule pensée de la vie amoureuse de ma petite sœur m'a ramenée à la mienne et je me suis remise à sourire béatement. Cal était-il mon *mùirn beatha dàn,* le terme wiccan pour désigner l'âme sœur, le compagnon d'une vie ? Du moins faisait-il mine de le croire. La seule pensée de cette possibilité me donnait des frissons tout le long de la colonne vertébrale.

À l'épicerie, nous avons fait le plein de *Pop Tarts* et d'autres articles indispensables. Dans l'allée des grignotines, j'ai balancé un paquet de 12 cannettes de soda dans le panier pendant que Mary K. empilait les sacs de bretzels et de chips. En voyant les friandises préférées de ma meilleure amie, Bree, j'ai eu un petit pincement au cœur.

Bree, mon ancienne meilleure amie.

J'avais la gorge nouée. Combien de fois avions-nous clandestinement emporté ces petites douceurs chocolatées dans une salle de cinéma ? Combien de boîtes avions-nous consommées lorsque nous passions la nuit chez l'autre, étendues dans le noir, à échanger tous nos secrets ? L'idée que nous étions désormais des ennemies, que notre amitié avait été brisée parce qu'elle voulait Cal alors que Cal m'avait choisie moi, me semblait toujours aussi incongrue. Ces dernières semaines, j'avais souhaité plus d'une fois pouvoir lui parler de tout ce que j'avais appris. Bree ne savait même pas que j'avais été adoptée. Elle pensait toujours que j'étais une Rowlands de naissance, comme Mary K. Mais elle était devenue si méchante avec moi, et je lui battais froid. Bon, bon. Pour le moment, je n'y pouvais rien. Mieux valait ne pas ressasser tout cela, puisque je ne pouvais rien y changer.

Nous sommes passées à la caisse, puis avons mis les sacs d'épicerie dans ma voiture. Je bâillais en reprenant le volant. J'avais l'impression que ce temps gris et morne sapait mon énergie. Je voulais rentrer chez moi et faire une sieste avant que Cal ne passe me prendre.

— Si on prenait Picketts Road, a dit Mary K. en ajustant les bouches d'aération afin que toute la chaleur soit dirigée sur elle. C'est un petit détour, mais c'est tellement joli.

— Direction Picketts Road, alors, ai-je acquiescé en prenant le chemin.

Je préférais cette route moi aussi : c'était un chemin vallonné et venteux, où les habitations étaient peu nombreuses. Il y avait une écurie par là, et bien que la plupart des arbres étaient déjà dénudés, les feuilles multicolores recouvraient encore le sol, comme les dessins sur un tapis oriental.

Un peu plus loin sur la route, deux voitures étaient arrêtées sur le bas-côté. En passant, j'ai reconnu la Jeep blanche de Matt Adler et la Peugeot noire de Raven Meltzer... Elles étaient garées côte à côte sur un chemin peu achalandé. C'était étrange. Je n'avais jamais remarqué qu'ils se parlaient. J'ai jeté un œil dans les environs, mais n'ai vu personne.

— Intéressant, ai-je marmonné.

— Quoi ? a demandé ma sœur, qui s'amusait avec les boutons de la radio.

— C'était la Jeep de Matt et la Peugeot de Raven.

— Et alors ?

— Ils ne sont même pas amis, ai-je dit en haussant les épaules. Je me demande ce que leurs voitures font sur ce chemin.

— Bon sang, peut-être qu'ils ont tué quelqu'un et qu'ils sont en train d'enterrer le corps, a-t-elle dit, sarcastique.

Je lui ai fait un petit sourire forcé.

— Je trouve cela plutôt inusité, c'est tout. Tu comprends, Matt est le petit ami de Jenna, et Raven…

Raven se fout bien qu'un gars soit le petit ami d'une autre, ai-je conclu silencieusement. Raven se plaisait à séduire les garçons, à les goûter et à les recracher aussitôt.

— Ouais, mais ils sont tous les deux dans ce truc wiccan avec toi, non ? a demandé Mary K., en se regardant dans le miroir dissimulé sous le pare-soleil.

De toute évidence, elle ne voulait pas me regarder dans les yeux. Elle m'avait déjà dit clairement qu'elle désapprouvait ma pratique, « ce truc de la Wicca », comme elle aimait le dire.

— Mais Raven n'est pas dans notre cercle, ai-je repris. Elle et Bree ont créé leur propre assemblée.

— Parce que vous ne vous parlez plus, toi et Bree ? a fait Mary K., sur un ton tranchant sans cesser de se mirer.

Je me suis mordu la lèvre. Je n'avais toujours pas donné d'explication à ma famille en ce qui avait trait à Bree et moi. Bien sûr, ils avaient remarqué que nous ne nous tenions plus ensemble et que Bree ne téléphonait plus chez nous neuf fois par jour. Mais j'ai inventé une réponse en disant que Bree était occupée avec son nouveau copain, et personne n'était revenu sur le sujet jusqu'à maintenant.

— C'est en partie pour ça, ai-je dit en soupirant. Elle pensait qu'elle était amoureuse de Cal. Mais il voulait être avec moi.

Alors, Bree a décidé que je pouvais aller au diable.

Cela me blessait d'en parler à haute voix.

— Et tu as choisi Cal, a dit ma sœur, mais son ton était indulgent.

J'ai secoué la tête.

— Ce n'est pas comme si j'avais choisi Cal *plutôt* que Bree. En fait, c'est d'abord elle qui a fait passer Cal en premier. Et puis, je n'ai jamais dit à Bree que je voulais qu'elle disparaisse de ma vie. Rien de tel. J'aurais aimé que nous restions amies.

Mary K. a remonté le pare-soleil.

— Même si elle était amoureuse de ton petit ami ?

— Elle *pensait* l'aimer, ai-je dit, irritée. Elle ne le connaissait même pas. Elle ne le connaît toujours pas. De toute façon, tu sais comment elle est avec les garçons. Elle aime davantage chasser et conquérir que s'engager dans une relation durable. Prenez et jetez. Et Cal ne voulait pas sortir avec elle. C'est compliqué, ai-je conclu en soupirant.

Mary K. a levé les épaules.

— Tu crois que je ne devrais pas sortir avec Cal, uniquement parce que Bree le veut ? ai-je demandé, les jointures blanches à force de serrer le volant.

— Non, pas exactement, a dit Mary K. C'est seulement que ça me fait de la peine pour Bree. Elle t'a perdue toi, et elle a perdu Cal.

— Eh bien, elle se comporte en parfaite salope avec moi maintenant, ai-je repris en bougonnant, oubliant un instant à quel point elle m'avait manqué quelques minutes plus tôt. Ça me paraît évident qu'elle n'est pas complètement mortifiée par la situation.

Mary K. regardait par la fenêtre.

— Peut-être bien que Bree exprime sa tristesse en se comportant en salope, a murmuré Mary K. d'un air absent, regardant filer les arbres dénudés. Si tu étais ma meilleure amie depuis une douzaine d'années et que tu me laissais tomber pour un gars que tu viens de rencontrer, je me comporterais peut-être en salope moi aussi.

Je n'ai pas répondu. J'ai pensé, ne t'occupe pas de ça. Comme si ma sœurette de 14 ans pouvait y comprendre quelque chose. Après tout, elle s'était laissée embobiner par une ordure comme Bakker.

Mais au plus profond de moi, je me demandais si mon irritation n'était pas due au fait que Mary K. avait raison.

3

Woodbane

Litha, 1998

C'est le temps de l'année où je suis le plus triste. Triste et en colère. Un des derniers cercles que j'ai faits avec maman et papa était pour célébrer Beltane, il y a huit ans. J'avais huit ans, Linden en avait six, et Alwyn seulement quatre. Je nous revois, tous les trois, assis avec les autres enfants, les fils et les filles des membres du cercle. La chaleur du mois de mai essayait de s'incruster et de bannir l'humidité froide et morne d'avril. Autour de notre mât, les grands riaient et buvaient du vin. Nous, les enfants, dansions en agitant nos rubans à la face des autres, recueillant pour nous la magye dans un filet pastel.

J'ai senti la magye en moi, en chaque chose. J'étais si impatient. Je ne savais pas comment je pourrais y arriver, jusqu'à ma quatorzième année lorsque j'ai pu être initiée en tant que sorcière accomplie. Je me souviens que le soleil couchant projetait sa lumière dans les cheveux de ma mère ; maman et papa se tenant enlacés, s'embrassant, pendant que les autres riaient. Les autres enfants et moi poussions des gémissements et nous couvrions le visage. Mais nous faisions seulement semblant d'être embarrassés. À l'intérieur, nos esprits dansaient. L'air était plein de vie, tout flamboyait et se gonflait de lumière, de merveilles et de bonheur.

Et avant Litha, sept semaines plus tard, maman était partie, papa était parti — disparus sans laisser de trace, sans un mot pour nous, leurs enfants. Et ma vie a changé à tout jamais. Mon esprit s'est flétri, s'est ratatiné, s'est tordu.

Aujourd'hui je suis une sorcière et presque adulte. Pourtant, à l'intérieur, mon esprit demeure une chose mesquine, tordue. Et malgré le fait que j'aie fini par apprendre la vérité, je suis encore en colère, plus que je ne l'ai jamais été, d'une certaine manière. En sera-t-il toujours ainsi ? Sans doute la Déesse est-elle la seule à savoir.

– Giomanach

Après le lunch, j'étais dans ma chambre, en train de me faire une tresse, quand j'ai senti la présence de Cal. Un sourire s'est inscrit sur mon visage. J'ai concentré mes sens et senti que mes parents étaient dans le salon, ma sœur dans la salle de bain, et puis Cal, approchant, aiguisant mes nerfs à mesure qu'il se rapprochait. Au moment où j'attachais mes cheveux à l'aide d'un élastique, il sonnait à la porte. Je suis sortie de ma chambre et j'ai dévalé l'escalier.

Maman répondait à la porte.

— Allô Cal, a-t-elle dit.

Elle l'avait vu une seule fois auparavant, lorsqu'il était venu me rendre visite, après que Bree m'eut pratiquement cassé le nez avec un ballon en pleine classe de gymnastique. Je sentais qu'elle l'examinait des pieds à la tête, comme le font toutes les mères normales.

— Bonjour, Mme Rowlands, a répondu Cal le plus simplement du monde, en souriant. Est-ce que Morgan… oh, la voici.

Nos yeux se sont croisés, et nous nous sommes souris bêtement. Je ne pouvais cacher le plaisir que je ressentais de le voir, même pas devant ma mère.

— Seras-tu de retour pour le dîner? a demandé maman, incapable de résister à l'envie de me donner un petit baiser.

— Oui, ai-je répondu. Ensuite, je dois aller chez Jenna ce soir.

— OK! a fait maman en prenant une grande respiration, puis elle a fait un autre sourire à Cal. Amusez-vous bien.

Je savais qu'elle faisait de gros efforts pour ne pas recommander à Cal de conduire prudemment, et je dois dire à son avantage qu'elle a réussi. J'ai fait salut de la main et me suis dépêchée de monter dans la voiture de Cal.

— Tu veux toujours aller à la boutique Magye pratique, a-t-il demandé en démarrant la voiture.

— Oui.

Pendant que je m'installais sur le siège, j'ai instantanément repensé à ce qui s'était passé la veille, à ma découverte du Livre des ombres de Maeve Riordan.

Aussitôt hors de vue de la maison de mes parents, Cal a garé la voiture et s'est approché pour m'embrasser. Je me suis rapprochée de lui autant que le permettaient ces sièges-baquets et l'ai serré très fort. C'était tellement étrange : je m'étais toujours fiée à Bree et à ma famille pour trouver mes assises, pour m'appuyer. Mais maintenant, Bree était sortie de ma vie, et ma famille et moi avions encore du mal à nous entendre sur le fait que j'avais été adoptée. Si je n'avais pas eu Cal… eh bien, je préférais ne pas trop y penser.

— Ça va ? Pas de problème avec le Livre des ombres ?

— Pas encore, ai-je répondu en secouant la tête. Par contre, c'est vraiment incroyable. J'apprends tellement…

J'ai fait une pause avant de reprendre :

— Ta mère n'est pas fâchée que je l'aie pris, dis ?

— Non. Elle sait qu'il t'appartient. Elle aurait dû t'en parler, a-t-il ajouté avec un petit sourire contrit. C'est juste que… je ne sais pas. Maman a l'habitude d'être responsable, tu comprends ? Elle préside son cercle. C'est une grande prêtresse. Elle aide toujours les gens à résoudre des problèmes ; elle les aide à régler toutes sortes de conflits. Alors parfois, elle se comporte comme si elle devait protéger le monde entier. Que les gens le veuillent ou non.

J'ai hoché la tête, essayant de comprendre.

— Ouais, je vois. Je crois que j'ai seulement eu l'impression que cela ne la regardait pas, tu sais ? Ou peut-être que si, mais c'est d'abord moi que ça regarde.

J'ai perçu un léger éclair de surprise dans les yeux de Cal, et il a eu un petit rire sec.

— Tu es drôle, a-t-il commenté. Normalement, les gens s'agglutinent autour de ma mère. Ils sont tous tellement impressionnés par ses pouvoirs, par sa force. Ils lui confient tous leurs problèmes, lui racontent tout et souhaitent rester aussi près d'elle que possible. Elle n'est pas habituée à ce qu'on la défie.

— Mais je l'aime beaucoup, ai-je dit, de peur d'avoir eu l'air trop dur. Je veux dire… je…

— Non, c'est correct, m'a-t-il interrompue en hochant la tête. C'est rafraîchissant. Tu veux te tenir debout toute seule, faire les choses toi-même. Tu es une personne à part entière. Cela te rend intéressante.

Je ne savais pas quoi dire. J'ai rougi.

Cal a tiré sur ma tresse qui était coincée sous mon manteau.

— J'aime tes cheveux, a-t-il murmuré en regardant la tresse s'entortiller entre ses doigts. Des cheveux de sorcière.

Puis il m'a fait un petit sourire en coin et a redémarré la voiture.

Je savais que je devais être rouge comme une tomate. Je me suis adossée; je me sentais à la fois heureuse, forte et incertaine. Je regardais filer le paysage par la fenêtre. Les nuages s'étaient assombris, se déplaçant paresseusement dans le ciel comme s'ils n'arrivaient pas à décider à quel moment ils allaient déverser leur chargement de neige. Au moment où nous arrivions à Red Kill, ils rejetaient de gros flocons de neige qui collaient un peu partout.

— Et c'est parti, a dit Cal en actionnant les essuie-glaces. Bonjour l'hiver!

J'ai souri. La neige qui tombait et le bruit des essuie-glaces rendaient le silence dans l'habitacle encore plus paisible. J'étais tellement contente d'être là, maintenant, en cet instant, avec Cal. J'avais l'impression de pouvoir m'attaquer à n'importe quel problème.

— Tu sais, il y a une chose que j'aurais voulu te dire bien avant. L'autre jour, j'ai suivi Bree avec l'intention de crever l'abcès une fois pour toutes.

— Vraiment? a fait Cal en me regardant, l'air étonné.

— Ouais, mais les choses ne se sont pas passées comme je l'avais prévu. Je les ai plutôt surprises, elle et Raven, en train de discuter avec Sky Eventide.

Il m'a lâché la main et m'a regardée avec plus d'insistance, en plissant le front.

— Sky?

— Oui, la sorcière blonde que j'ai vue hier soir chez ta mère.

La très belle sorcière, ai-je pensé, dans un étrange accès de jalousie. Même si je savais que Cal m'aimait, qu'il m'avait *choisie*, je manquais encore de confiance en moi, surtout lorsque nous étions en compagnie de jolies filles. Il faut dire qu'il était tellement beau, avec ses yeux dorés, son corps élancé et parfait. Et moi… eh bien, je n'étais pas aussi parfaite. J'avais de petits seins et un gros nez ; difficile, dans les circonstances, de parler de perfection.

— Bref, j'ai vu Sky avec Bree et Raven, ai-je repris, essayant de faire fi de mon insécurité. Je parierais que c'est la sorcière de sang qui fait partie de leur assemblée.

— Hum… a fait Cal, enregardant la route comme s'il avait besoin de réfléchir. Vraiment. Ouais, je suppose que c'est possible.

— Est-elle… mauvaise ? ai-je demandé, faute d'un terme plus approprié. Je veux dire, je sens que tu ne les aimes pas beaucoup non plus, elle et Hunter. Sont-ils, je ne sais comment dire, du côté obscur ?

J'avais trébuché sur ces mots. Ils étaient tellement mélodramatiques.

Cal a éclaté de rire.

— Du côté obscur ? Tu as regardé trop de films. Il n'y a pas de côté obscur dans la Wicca. Ce n'est qu'un grand cercle. Tout ce qui est magyque fait partie de ce cercle. Toi, moi, l'univers, Hunter, Sky, tout. Nous sommes tous reliés.

J'ai froncé les sourcils. Cela semblait étrange à dire, considérant la manière dont il avait regardé Hunter et Sky.

— Hier soir, vous n'aviez pas l'air de vous aimer beaucoup, ai-je insisté.

Cal a haussé les épaules en prenant la rue principale de Red Kill et ralentissant afin de trouver une place pour se garer. Après un moment de silence, il a ajouté :

— Il arrive qu'on fasse la connaissance de gens qui nous hérissent, c'est tout. J'ai rencontré Hunter il y a deux ans environ, et… nous ne pouvons pas nous blairer.

Il a ri comme s'il n'y avait rien de mal à ça.

— Tout chez lui m'horripile, et c'est réciproque. Cela ne sonne pas très sorcière, je sais. Mais je ne lui fais pas confiance.

— Qu'est-ce que tu veux dire ? Lui faire confiance en tant que personne, ou en tant que sorcière ?

Cal a garé la voiture et arrêté le moteur.

— Il n'y a pas de différence, a-t-il marmonné, l'air distant.

— Et qu'en est-il du grand cercle, ai-je demandé, incapable de faire autrement. Si vous êtes reliés, comment se fait-il qu'il t'horripile à ce point ?

— C'est juste..., a-t-il commencé, puis il a secoué la tête. Oublie ça. Parlons d'autre chose.

Il a alors ouvert la portière et est sorti de la voiture.

J'ai ouvert la bouche et l'ai refermée aussitôt. Cela me paraissait important de poursuivre cette conversation. Après tout, Hunter et Sky m'avaient tous deux profondément affectée, et je n'arrivais pas à m'expliquer pourquoi. Mais si Cal ne voulait plus en parler, je pouvais respecter sa décision. Moi aussi, il y avait des sujets que je préférais ne pas aborder avec lui. Je suis sortie de la voiture en claquant la portière, puis j'ai couru pour le rattraper.

— C'est dommage que tu ne possèdes rien d'autre ayant appartenu à ta mère, a fait remarquer Cal en avançant vers la charmante petite boutique.

Nous avions le visage enfoui dans nos manteaux, pour nous protéger du froid. Il a continué :

— Comme les instruments de son cercle, son athamé, sa baguette, ou peut-être sa tunique. Ce serait super si tu avais ces objets.

— Ouais. Mais je suppose que tous ces articles ont disparu depuis belle lurette !

Cal a ouvert la lourde porte de la boutique et m'a laissée entrer. L'air chaud nous est monté au visage, riche de parfums et d'arômes d'herbes. Nous avons fait tomber la neige collée à nos souliers, et j'ai enlevé mes gants. Je souriais. Automatiquement, je me suis mise à lire les titres sur les étagères. J'aimais ce magasin. J'aurais pu rester là toute la journée, à lire. J'ai jeté un œil à Cal. Il lisait déjà l'épine des livres, tout comme moi.

Alyce et David, les deux commis, étaient tous les deux à l'arrière du magasin, échangeant à voix basse avec les clients. Immédiatement, mes yeux sont passés de David — avec ses cheveux gris coupés court, son visage enfantin et ses yeux foncés perçants — à Alyce. J'avais senti un lien avec elle, la première fois que je l'avais rencontrée. C'était Alyce qui m'avait raconté l'histoire de ma mère biologique, qui m'avait dit que son cercle avait été complètement détruit. Alyce m'avait appris que Maeve et mon père s'étaient enfuis pour venir en Amérique et qu'ils s'étaient établis à Meshomah Falls, une ville située à environ deux heures d'ici. En Amérique, ils avaient renoncé à la magye et à la sorcellerie, et vivaient ensemble paisiblement. Puis, environ sept mois après ma naissance, ils m'avaient donnée en adoption. Peu de temps après, ils avaient été embarrés dans une grange qui avait été incendiée.

— As-tu lu ça ? a demandé Cal, me sortant de mes pensées.

Il a pris un livre sur une étagère près de la caisse. Il était intitulé *Jardins de sorcières.*

— Ma mère en a un exemplaire. Elle s'en sert beaucoup.

— Vraiment ?

Je lui ai pris le livre des mains, intriguée. Je ne me rappelais pas l'avoir vu dans la bibliothèque de Selene. Mais il y avait des centaines de livres…

— Oh ! c'est incroyable, ai-je murmuré en tournant les pages.

On y expliquait en détail comment créer un jardin d'herbes afin d'en maximiser le potentiel et de tirer le meilleur parti des plantes médicinales et des plantes servant aux potions et aux envoûtements. C'est exactement ce que je veux faire…

J'ai fait une pause. À la toute fin du livre, il y avait un chapitre intitulé « Sortilèges pour affronter l'adversaire ». J'ai senti une désagréable sensation de picotement le long de ma nuque. Qu'est-ce que cela signifiait exactement ? Pouvait-on utiliser la magye des plantes pour faire du mal aux gens ? Dans tous les cas, cela ne me semblait pas bien. D'un autre côté, peut-être une sorcière devait-elle connaître les propriétés négatives de la magye des herbes, de manière à pouvoir s'en protéger. Oui. Peut-être bien que ce savoir était une partie cruciale du grand cercle de la Wicca dont Cal m'avait parlé, quelques minutes plus tôt.

Doucement, Cal a repris le livre et l'a mis sous son bras.

— Je te l'offre, a-t-il dit en m'embrassant. Ce sera ton cadeau préanniversaire.

J'ai hoché la tête, pendant que mes inquiétudes s'évaporaient dans une bouffée de plaisir. Huit jours nous séparaient encore de mon dix-septième anniversaire. J'étais surprise et excitée que Cal y pense déjà.

Nous avons commencé à arpenter le magasin. Je n'étais jamais venue ici avec Cal, et il me montrait des trésors cachés que je n'avais jamais remarqués jusque-là. Nous avons d'abord regardé les chandelles. Elles avaient différentes propriétés, selon leur couleur, et Cal m'expliquait quelles chandelles servaient à tel ou tel rituel. Tous leurs noms se bousculaient dans ma tête. Il y avait tant de choses à apprendre. Ensuite, nous avons regardé les ensembles de petits bols. Les wiccans s'en servaient pour le sel ou d'autres substances utiles aux rituels, comme l'eau ou l'encens. Cal m'a raconté que lorsqu'il vivait en Californie, lui et Selene avaient passé un été complet à cueillir de l'eau salée et à la faire évaporer pour en recueillir le sel. Ils avaient gardé ce sel et s'en étaient servi pendant presque une année complète pour purifier leurs cercles.

Nous avons ensuite regardé des clochettes d'étain qui servent à recharger les champs énergétiques durant un rituel du cercle, puis Cal m'a montré des ficelles, des fils et de l'encre chargés de magye. Comme moi, ai-je pensé, et j'ai failli éclater de rire de bonheur. La magye était tout, et une sorcière réellement savante pouvait utiliser littéralement n'importe quoi pour imprégner les sortilèges de pouvoir. J'avais eu des aperçus de ce savoir avant aujourd'hui, mais ici, avec Cal — qui me l'enseignait vraiment — cela me semblait plus réel, plus accessible et infiniment plus excitant que cela ne l'avait jamais été.

Et partout, il y avait des livres : sur les runes, sur la manière dont la position des étoiles affectait nos sortilèges, sur l'usage de la magye pour guérir, sur la façon d'augmenter ses propres pouvoirs. Cal m'en a indiqué plusieurs qu'il croyait que je devrais lire, ajoutant qu'il en avait un exemplaire qu'il pourrait me prêter.

— As-tu une tunique de magye ? m'a-t-il demandé soudainement, m'en montrant une accrochée au fond du magasin.

Elle était fabriquée en soie d'un bleu profond et ondoyait comme de l'eau.

J'ai fait non de la tête.

— Je crois qu'à partir d'Imbolc, nous devrions commencer à utiliser des tuniques pour nos cercles, a-t-il dit. Je vais en parler aux autres. D'habitude, les tuniques sont préférables aux vêtements de tous les jours pour faire de la magye : nous les portons seulement lorsque nous faisons de la magye, de sorte qu'elles ne risquent pas d'être contaminées par les vibrations insidieuses du reste de ta vie. Et puis, elles sont confortables et pratiques.

J'ai fait signe que oui, passant ma main sur le tissu de différentes tuniques. J'étais étonnée par leur grande diversité. Il y en avait de très simples, sans fioritures ; d'autres étaient garnies de runes et de symboles peints ou cousus. Mais il n'y en avait pas une seule qui me donnait envie de l'avoir à tout prix, même si elles étaient toutes magnifiques. Mais c'était correct; Imbolc aurait lieu seulement à la fin de janvier. J'avais le temps de trouver la mienne.

— Portes-tu une tunique, Cal?

— Ouais… chaque fois que je participe à un cercle avec ma mère ou même seul. La mienne est blanche; elle est en lin très lourd. Ça fait bien deux ans que je l'ai. Je souhaiterais pouvoir la porter tout le temps, a-t-il ajouté avec un petit sourire. Mais je ne crois pas que les habitants de Widow's Vale soient prêts pour ça.

Je riais en l'imaginant entrant nonchalamment à la pharmacie dans sa longue tunique blanche…

— On hérite parfois des tuniques de génération en génération, a poursuivi Cal. Comme les outils. Parfois aussi, les gens tissent leurs étoffes et les cousent eux-mêmes. C'est comme dans n'importe quoi : plus tu y mets de cœur et d'énergie, plus elle contient d'énergie magyque et plus elle peut t'aider à te concentrer lorsque tu pratiques la magye.

Je commençais à comprendre, même si je savais que je passerais beaucoup de temps à méditer sur la manière dont je pourrais commencer à appliquer cela à mes propres activités magyques.

Cal a traversé l'allée et a pris quelque chose sur une étagère du haut. C'était un athamé : une dague cérémoniale, qui mesurait environ 30 centimètres. La lame était en argent, si bien polie et brillante qu'on aurait dit un miroir. Sa poignée était incrustée de roses d'argent. Un crâne faisait tenir ensemble la poignée et la lame.

— C'est beau, non ? a murmuré Cal.

— Pourquoi y a-t-il un crâne ?

— Pour nous rappeler que la vie comporte toujours la mort, a-t-il dit calmement, faisant tourner la dague entre ses doigts. Il y a de la noirceur dans la lumière, de la douleur dans la joie, et les roses ont des épines.

Son ton était solennel, réfléchi, et j'ai frissonné.

Puis il a levé les yeux.

— Peut-être bien qu'une personne très chanceuse se la fera offrir pour son anniversaire.

J'ai agité les sourcils, l'air tout excité, et Cal s'est mis à rire.

Il se faisait tard et il fallait que je rentre. Cal est passé à la caisse pour payer des chandelles vertes, un peu d'encens et le livre sur le jardinage pour moi. J'ai senti le regard d'Alyce posé sur moi.

— Rien pour toi, a-t-elle demandé, toujours aussi cordiale.

J'ai secoué la tête.

Elle a hésité, puis a jeté un regard fugace à Cal.

— J'ai quelque chose que tu devrais lire, il me semble, a-t-elle repris en s'adressant à moi.

Se déplaçant avec une grâce étonnante pour une personne aussi rondelette, elle est sortie de derrière le comptoir et s'est dirigée vers une allée de livres. J'ai haussé les épaules en regardant Cal, puis Alyce est revenue, sa jupe lavande crissant à chacun de ses pas. Elle m'a tendu un livre brun foncé tout simple.

— *Woodbane, réalité et fiction,* ai-je lu à haute voix.

Un frisson m'a parcouru le corps. Les Woodbane étaient les plus sombres des sept anciens clans wiccans, notoires pour leur quête de pouvoir à tout prix. Les méchants. Je l'ai regardée, déconcertée.

— Pourquoi devrais-je lire cela ?

Alyce m'a regardée droit dans les yeux.

— C'est un livre intéressant qui brise bon nombre de mythes entourant les Woodbane, a-t-elle dit en faisant sonner la caisse. Il est très utile à tous ceux qui étudient la sorcellerie.

Je ne savais pas quoi dire, mais j'ai sorti mon portefeuille et j'ai déposé la somme sur le comptoir. J'avais confiance en elle. Si elle croyait que je devais lire ce livre, je le lirais. Mais en même temps, j'étais consciente de la tension dans le corps de Cal. Il n'était pas fâché, mais il paraissait sur le qui-vive, observant Alyce, m'observant, mesurant la situation. J'ai mis mon bras autour de sa taille et l'ai serré pour le rassurer.

Il a souri.

— Au revoir, Alyce, merci.

— Ça me fait plaisir, a-t-elle répliqué. Au revoir, Morgan. Au revoir Cal.

J'ai mis mes deux nouveaux livres sous mon bras, un livre que je voulais lire et un que je ne voulais pas lire, et nous avons marché vers la sortie. Néanmoins, j'allais les lire tous les deux. Même si cela faisait à peine deux mois que j'étudiais la sorcellerie, j'avais déjà appris une leçon importante : il y avait deux côtés à tout. Il fallait que je prenne le bon avec le mauvais, le plaisir avec le malaise, l'excitation avec la peur. La rose avec les épines.

Cal a ouvert la porte et la cloche a sonné.

Il s'est arrêté si soudainement que j'ai foncé dans son dos.

— Ouf ! ai-je dit, et me redressant, j'ai fait un pas de côté.

C'est alors que j'ai vu pourquoi il s'était arrêté si abruptement.

C'était Hunter Niall, accroupi dans la rue, regardant sous la voiture de Cal.

4

Sortilège

Litha, 1990

J'ai peur. Je me suis levé au son des pleurs ce matin. Alwyn et Linden étaient dans ma chambre. Ils pleuraient parce qu'ils ne trouvaient pas maman et papa. J'étais fâché. Je leur ai dit qu'ils n'étaient plus des bébés et que maman et papa seraient bientôt de retour. Je pensais qu'ils étaient allés en ville pour y chercher quelque chose dont nous avions besoin.

Mais la nuit est tombée et nous sommes toujours seuls. Je n'ai pas entendu un seul mot de nos voisins, ni du cercle de maman et papa. Je me suis rendu à la maison de Siobhan et chez Caradog Owen, à Grasmere, pour leur demander s'ils savaient où étaient maman et papa. Mais il n'y avait personne.

Et puis, il y a autre chose. Lorsque je faisais mon lit, j'ai trouvé le lueg de papa sous mon *oreiller; la pierre dont il se sert pour faire de la divination. Comment a-t-elle pu se retrouver là? Il la garde toujours en sécurité avec le reste de ses instruments de magye. Il ne m'a jamais permis d'y toucher. Alors, comment cette pierre a-t-elle pu se retrouver sous mon oreiller? J'ai un mauvais pressentiment...*

Papa m'a souvent dit que lorsque lui et maman partent en mission, je suis le maître de la maison. C'est mon devoir de surveiller mon frère et ma sœur. Mais je ne suis pas encore un homme, comme lui; j'ai seulement huit ans. Je ne serai pas sorcier avant de nombreuses années. Que puis-je faire s'il y a un problème?

Et s'il leur était arrivé quelque chose? Ils ne nous ont jamais laissés seuls auparavant. Est-ce que quelqu'un les aurait kidnappés? Sont-ils retenus prisonniers quelque part?

Il faut que je dorme, mais je n'y arrive pas. Alwyn et Linden peuvent dormir pour moi. Il faut que je sois fort pour eux.

Maman et papa seront bientôt de retour parmi nous. Ils reviendront. Je le sais. Déesse, ramène-les à la maison.

— Giomanach

Comme s'il nous avait sentis approcher, Hunter s'est vite redressé. Ses yeux verts étaient enflés et injectés de sang. Il avait le visage pâle à cause du froid, et des flocons de neige recouvraient son chapeau. Mis à part la rougeur de ses yeux, on aurait dit qu'il avait été sculpté dans le marbre ; mais il paraissait tout de même dangereux. Pourquoi regardait-il sous la voiture ? Plus important encore, pourquoi le trouvais-je si menaçant ? Je n'avais pas de réponses à mes questions, mais je savais qu'en ma qualité de sorcière de sang, il fallait que je me fie à mes instincts. J'ai frissonné sous mon manteau.

– Qu'est-ce que tu fabriques, Niall, a demandé Cal, d'une voix si basse et ferme que j'ai eu du mal à la reconnaître.

Je l'ai regardé et j'ai vu qu'il avait la mâchoire crispée et les poings serrés.

– J'étais seulement en train d'admirer ta grosse bagnole américaine, a dit Hunter.

Il a reniflé, puis a tiré un mouchoir de sa poche. Il doit avoir le rhume, ai-je pensé. Je me demandais combien de temps il était resté dehors, sous la neige.

Cal a jeté un œil à son Explorer, l'examinant d'un pare-choc à l'autre, comme pour s'assurer qu'il n'y avait rien d'anormal.

— Allô, Morgan, a murmuré Hunter.

Avec sa voix nasillarde, son salut sonnait comme une insulte.

— Te voilà en charmante compagnie.

Je sentais la fraîcheur des flocons de neige contre ma joue chaude.

J'ai mis mes livres sous l'autre bras en regardant Hunter, embarrassée. Qu'est-ce que ça pouvait lui faire?

Hunter a sauté sur le trottoir. Cal lui a fait face, s'interposant entre lui et moi. *Mon héros,* ai-je pensé. Néanmoins, une peur palpable me prenait quand même au ventre. Hunter lui a jeté un regard plein de hargne, les pommettes si carrées que les flocons de neige semblaient ricocher dessus.

— Ainsi, Cal t'enseigne les secrets de la Wicca, c'est ça? a-t-il demandé en se penchant nonchalamment contre le capot de la voiture.

Cal ne le lâchait pas des yeux une seconde.

— Bien sûr, il connaît pas mal de secrets, hein ?

— Tu peux t'en aller maintenant, Niall, a craché Cal.

— Non, je ne crois pas, a répliqué Hunter du tac au tac. Je crois que je resterai dans les environs un bon moment. Qui sait, il se pourrait que je doive enseigner moi-même certaines choses à Morgan.

— Qu'est-ce que tu veux insinuer ? ai-je demandé.

Hunter s'est contenté de hausser les épaules.

— Sors de ma vue, a ordonné Cal.

Avec un petit sourire narquois, Hunter a reculé, les mains levées comme pour montrer qu'il n'était pas armé. Cal a tourné les yeux vers la voiture. Je ne l'avais jamais vu aussi furieux, aussi sur le point de perdre la maîtrise de lui-même. Cela m'a fait peur. Il était comme un tigre, attendant de bondir.

— Il y a une chose que tu devrais apprendre, Morgan, a lâché Hunter. Cal n'est pas le seul sorcier de sang par ici. Il aimerait bien croire qu'il est déjà un homme, mais en réalité, il n'est que du menu fretin. Un jour, tu t'en rendras compte. Et je tiens à être là pour le voir.

— Va au diable, a grondé Cal.

— Écoute, tu ne me connais pas, ai-je dit à Hunter en élevant la voix. Tu ne connais rien de moi. Alors, la ferme et fous-nous la paix !

Puis j'ai marché vers la voiture d'un pas décidé. Mais au moment où je passais devant Hunter, le touchant presque, j'ai été assaillie par une ruée d'énergie dégueulasse qui m'a atteinte si violemment au ventre que j'en ai eu le souffle coupé. Tout en m'accrochant à la poignée de la portière, j'ai pensé, paniquée, qu'il m'avait jeté un sort. Mais il n'avait rien dit ; il n'avait rien fait que je puisse voir. J'ai cligné des yeux.

— Je t'en prie, Cal, ai-je chuchoté, la voix tremblante. Allons-nous-en.

Cal fixait toujours Hunter comme s'il voulait le mettre en pièces. Il avait les yeux comme des brasiers, et la peau de plus en plus blanche.

Hunter soutenait son regard, mais j'ai senti qu'il perdait sa concentration : il a eu l'air sonné pendant un moment. Puis, il est redevenu d'acier.

— Je t'en prie, Cal, ai-je répété.

Je savais que j'avais été atteinte ; je me sentais chaude et étrange ; je désespérais de partir et de me retrouver chez moi. Au son de ma voix, Cal a dû percevoir ma détresse, car il a détourné son regard de Hunter pendant une seconde. Je le regardais, l'air suppliant. Finalement, il a pris ses clés dans sa poche, s'est assis dans la voiture et m'a ouvert la portière.

Je me suis laissée tomber sur le siège en me cachant le visage dans les mains.

— Au revoir, Morgan ! a lancé Hunter.

Cal a embrayé, puis il a reculé en accélérant, faisant voler la neige et la glace en direction de Hunter. Je regardais entre mes doigts et j'ai vu Hunter planté là, avec sur la figure une expression indéchiffrable. Était-ce de la… colère ? Non. La neige tourbillonnait autour de lui tandis qu'il nous regardait nous éloigner.

C'est seulement en arrivant tout près de chez moi que cela m'a frappée.

Cette expression sur son visage, c'était du désir.

5

Dagda

Beltane, 1992

J'ai envie de cogner sur tout le monde et sur tous les objets. Je hais ma vie, je hais le fait de vivre avec oncle Beck et tante Shelagh. Rien n'est plus pareil depuis que maman et papa ont disparu ce jour-là, il y a deux ans, et ce ne le sera plus jamais.

Aujourd'hui, Linden a fait une chute du haut de l'échelle d'oncle Beck et il avait le genou en sang. Il a fallu que je le nettoie, que je panse sa blessure, et il a pleuré sans arrêt pendant que je le soignais. Et j'ai maudit maman et papa en faisant cela; je les ai maudits de nous avoir abandonnés et de m'avoir laissé leurs responsabilités. Pourquoi sont-ils partis? Où sont-ils allés? Oncle Beck le sait, mais il refuse de me le dire. Il estime que je ne suis pas prêt. Tante Shelagh, elle, dit que c'est pour mon bien. Mais comment cela peut-il être bon de ne pas connaître la vérité? Je hais mon oncle Beck.

Au bout du compte, quand j'ai eu fini de soigner Linden, j'ai fait une grimace, et il a ri à travers ses larmes. Cela m'a fait du bien, mais cela n'a pas duré longtemps. Aucun bonheur ne dure très longtemps. C'est ce que j'ai appris avec le temps. Linden ferait bien de l'apprendre lui aussi.

— Giomanach

Maman est venue dans ma chambre, ce soir, au moment où je m'habillais pour aller rejoindre mon cercle chez Jenna Ruiz.

– Est-ce que vous allez au cinéma ? a-t-elle demandé, tout en commençant à plier la pile de vêtements que j'avais jetés pêle-mêle sur mon lit.

– Non, ai-je répondu, sans autre explication.

Pour tout ce qui avait trait à la Wicca, le silence était de mise. Je me suis tournée devant le miroir en fronçant les sourcils. Comme d'habitude, c'était peine perdue. J'ai ouvert la porte de la salle de bain et j'ai crié :

– Mary K. !

Cela avait du bon d'avoir une sœur branchée sur la dernière mode. Elle est arrivée aussitôt.

J'ai levé les bras :

— À l'aide !, ai-je fait

M'examinant d'un œil critique, elle a secoué la tête en disant :

— Enlève-moi tout ça.

J'ai obéi docilement. Maman nous a souri.

Pendant que Mary K. fouillait dans ma penderie, maman essayait de glaner quelques détails supplémentaires.

— Tu as dit que tu allais chez Jenna. Est-ce que Bree sera là ?

J'ai fait une petite pause. Mary K. et maman avaient toutes les deux mentionné Bree aujourd'hui. Je n'étais pas vraiment surprise : elle avait quasiment fait partie des meubles chez nous pendant des années, mais cela me faisait souffrir de parler d'elle.

— Je ne crois pas, ai-je fini par dire. Ce sera seulement la même bande que d'habitude. Je ne suis jamais allée chez Jenna avant aujourd'hui, ai-je poursuivi, consciente que c'était une piètre tentative de changer de sujet. Mary K. m'a lancé une paire de jeans fuseaux, et je les ai enfilés sans rechigner.

— On ne voit plus jamais Bree, a commenté maman, au moment où Mary K. disparaissait dans sa chambre.

J'ai hoché la tête, consciente qu'elle me regardait.

— Vous seriez-vous disputées ?

Mary K. venait de réapparaître et me tendait un chandail de coton brodé.

— Si on veut, ai-je répondu en soupirant.

Je n'avais vraiment pas envie d'aborder ce sujet, pas maintenant. J'ai enlevé mon coton ouaté et enfilé le chandail brodé. À ma grande surprise, il m'allait parfaitement. Je suis plus grande et plus mince que Mary K., mais pour ce qui est des seins, elle a hérité des belles formes rondes de maman. De ma mère adoptive, je veux dire. Je me demandais vaguement si j'étais plutôt faite comme Maeve Riordan.

— Vous êtes-vous querellées à propos de la Wicca ? s'est enquise maman, avec la subtilité d'une massue. Bree ne veut rien savoir de la Wicca ?

— Ce n'est pas ça, ai-je répondu, en examinant mon allure dans le miroir.

C'était une nette amélioration, ce qui m'a rendue plus joyeuse.

— Bree aussi s'adonne à la Wicca, ai-je dit en soupirant, répondant finalement aux questions que se posait ma mère. En fait, nous nous sommes disputées à cause de Cal : elle voulait sortir avec lui, mais il voulait sortir avec moi. Maintenant, elle me déteste.

Maman s'est tue un moment. Mary K. regardait le plancher.

— C'est dommage, a fini par dire maman. C'est triste lorsque des amies se querellent pour un garçon.

Puis, avec un petit rire, comme pour me rassurer, elle a ajouté :

— Habituellement, les garçons n'en valent pas la peine.

J'ai fait signe que oui. J'avais une boule dans la gorge. Je ne voulais plus parler de Bree ; cela me faisait trop mal. J'ai regardé l'heure.

— J'aurais préféré que les choses se passent autrement. De toutes façons, je suis en retard ; il faut que j'y aille, ai-je repris d'une voix tendue. Merci, Mary K.

J'ai donné un baiser sur la joue de ma mère, j'ai dévalé l'escalier et je suis sortie, attrapant mon manteau et frissonnant dans l'air glacial.

Au bout d'un moment, la tristesse que j'avais éprouvée en pensant à Bree s'est évaporée. J'ai ressenti un pincement d'anticipation. C'était soir d'assemblée.

Jenna vivait pas très loin de chez nous, dans une petite maison de style victorien. Elle était charmante malgré son parterre envahi par un gazon très long, sa peinture qui s'écaillait, et le fait qu'un de ses volets était détaché de ses charnières.

Aussitôt que j'ai eu grimpé les marches menant au porche, un chat est venu à ma rencontre. Il a miaulé et s'est frotté la tête contre mes jambes.

— Que fais-tu dehors, toi ? ai-je murmuré, tout en sonnant à la porte.

Jenna a aussitôt ouvert, les joues rouges, ses cheveux blonds tirés vers l'arrière et un grand sourire sur le visage.

— Salut Morgan ! a-t-elle dit, avant de regarder le chat qui se faufilait à l'intérieur.

— Hugo, je t'avais dit qu'il faisait froid dehors. Je t'ai appelé ! Tu m'as ignorée. Maintenant, tes pattes sont gelées.

J'ai ri et regardé autour de moi pour voir qui était arrivé. Pas de Cal, pas encore. Bien sûr, je le savais déjà ; je n'avais pas vu sa voiture dehors, je n'avais pas senti sa présence. Robbie examinait la chaîne stéréo de Jenna, qui avait une vraie table tournante. Une collection de vieux microsillons était empilée au hasard, près de la cheminée.

— Hé ! a dit Robbie.

— Salut ! ai-je répondu.

Je m'étonnais que ce soit la maison de Jenna. Jenna était de loin une des filles les plus populaires du collège, et très branchée, comme Mary K., mais cette maison semblait sortir tout droit des années 1970. Les meubles étaient confortablement usés, avec des plantes suspendues devant chaque fenêtre, dont quelques-unes manquaient d'eau. Il y avait de la poussière et des poils de chat partout. Et des poils de chien, ai-je ajouté dans ma tête, en voyant deux bassets qui ronflaient sur un lit de chien, dans un coin de la salle à manger. Pas étonnant que Jenna souffre d'asthme, ai-je pensé. Il faudrait qu'elle vive dans une bulle de plastique, ici, pour respirer un air non vicié.

– Tu veux du cidre, a demandé Jenna, en me tendant une coupe.

Il était chaud et dégageait une délicieuse odeur d'épices. J'en ai pris une gorgée, et la sonnette s'est de nouveau fait entendre.

– Hé !

C'était Sharon Goodfine. Elle a secoué son épais manteau de cuir et l'a accroché au poteau de l'escalier.

– Hugo, n'y pense même pas ! s'est écriée Sharon, tandis que le chat s'étirait pour mettre ses grosses pattes blanches dessus.

De toute évidence, elle était déjà venue ici avant.

Ethan Sharp est arrivé tout de suite après, insuffisamment vêtu d'une veste mince et fatiguée.

Sharon lui a tendu une tasse de cidre.

— On dirait qu'il te manque le gène qui te permettrait de t'habiller pour affronter le froid, l'a-t-elle taquiné.

Il lui a souri, l'air vaguement défoncé, même si je savais qu'il ne fumait plus de marijuana. Elle lui a rendu son sourire. J'ai essayé de ne pas lever les yeux au ciel. Quand allaient-ils se rendre compte qu'ils s'aimaient ? En ce moment, tout ce qu'ils trouvaient à faire, c'était de se taquiner comme des enfants.

Puis, Cal est arrivé, et mon cœur s'est envolé au moment où il passait la porte. J'étais encore secouée à la pensée de ce qui s'était passé avec Hunter en face de *Magye pratique* ; nous avions à peine échangé deux mots, Cal et moi, sur le chemin du retour. Mais en le voyant maintenant, je me sentais beaucoup mieux, et lorsque mes yeux ont rencontré les siens, je savais qu'il s'était ennuyé de moi durant les heures où nous avions été séparés.

— Morgan, est-ce que je peux te parler une seconde, a-t-il demandé, hésitant, près de la porte.

Il n'a pas eu besoin d'ajouter « seule ». Je le voyais sur son visage.

J'ai hoché la tête, surprise, et suis allée le rejoindre.

— Qu'est-ce qui se passe ?

Tournant le dos au salon, il a sorti une petite pierre de sa poche. Elle était douce, ronde et grise, et avait à peu près la taille d'une balle de ping-pong. Il y avait une rune inscrite dessus, en noir. J'avais lu sur les runes, alors je l'ai reconnue instantanément : c'était Peorth, la rune qui révélait les choses cachées.

— J'ai trouvé cela collé sous la suspension de ma voiture, a chuchoté Cal.

J'ai levé la tête, alarmée.

— Est-ce que Hunter… mais je n'ai pas fini ma phrase.

Cal a hoché la tête.

— Qu'est-ce que ça veut dire ?

— Cela signifie qu'il utilise des trucs stupides pour nous espionner, a-t-il marmonné, remettant la pierre dans sa poche. Mais inutile de nous inquiéter. Si ça se trouve, cela prouve seulement qu'il n'a pas beaucoup de pouvoir.

– Mais...

– Ne t'en fais pas, a dit Cal en me faisant un sourire rassurant. Tu sais, je ne sais même pas pourquoi je t'ai montré cette pierre. Ce n'est pas grave. Vraiment.

Je l'ai regardé se diriger vers le salon pour dire bonjour à la bande. Il n'était pas tout à fait honnête avec moi ; je le sentais même sans faire appel à mes sens aiguisés de sorcière. Le petit truc de Hunter l'inquiétait jusqu'à un certain point.

Je me demandais ce que Hunter pouvait manigancer. Ce qu'il nous voulait.

Il était déjà 21 h, l'heure où nous avions l'habitude de commencer le rituel du cercle. Nous buvions du cidre. Robbie jouait de la musique. J'essayais d'oublier la pierre. Cela m'apaisait de regarder les animaux : les chiens ronflaient et sursautaient dans leur sommeil, et les chats nous frôlaient les jambes pour demander discrètement notre attention. J'avais remarqué que le seul qui n'était pas encore là, c'était Matt, le petit ami de Jenna. Celle-ci regardait sans cesse l'horloge grand-père dans le séjour. À mesure que les minutes s'écoulaient, elle semblait de plus en plus mal à l'aise.

Ses parents se sont pointés, nous ont salués, sans s'inquiéter le moins du monde du fait que nous étions là pour une assemblée wiccane. Ce doit être bien de ne pas se soucier de déplaire à ses parents, ai-je pensé. Puis, après nous avoir souhaité une bonne soirée, ils sont montés à l'étage regarder la télé.

— Eh bien, je vais commencer les cercles, a fini par dire Cal, ouvrant son sac et s'installant sur le plancher. Nous attendrons Matt encore 10 minutes.

— Il n'a pas l'habitude d'être en retard, a murmuré Jenna. Je l'ai appelé sur son téléphone cellulaire, mais j'ai obtenu la boîte vocale.

Soudain, je me suis rappelé avoir vu la voiture de Matt, garée à côté de celle de Raven. Était-ce seulement ce matin ? La journée avait été longue. J'ai refoulé un bâillement en m'assoyant sur le vieux canapé vert usé du salon et en regardant Cal au travail.

— Qu'est-ce que tu fais, ai-je demandé.

Normalement, il traçait un simple cercle en sel, parfaitement rond. Lorsque nous étions à l'intérieur, il le refermait et le purifiait avec la terre, l'air, le feu et l'eau. Mais le cercle de ce soir était différent.

— Ceci est plus compliqué, a répondu Cal.

Lentement, les autres se sont approchés pour l'observer. Il dessinait des cercles dans des cercles, laissant une ouverture pour chacun. Il y avait à présent trois cercles géométriquement parfaits, le plus grand occupant chaque centimètre d'espace disponible dans le salon.

Aux quatre points cardinaux, Cal a dessiné une rune à la craie, puis il l'a tracée dans l'espace : Mann, la rune pour la communauté et l'interdépendance; Daeg, pour l'aurore, le réveil et la clarté; Ur, pour la force; Tur, pour la victoire dans la bataille. Cal les nommait à mesure qu'il les dessinait, sans toutefois donner d'explications. Avant que l'un de nous puisse poser la question, la porte s'est ouverte et Matt est entré. Il était échevelé et avait l'air complètement perdu, ce qui ne lui ressemblait pas du tout.

— Salut tout le monde. Désolé d'être en retard. Problème mécanique.

Il avait parlé les yeux baissés, pour ne croiser aucun regard. Jenna le regardait, d'abord inquiète, puis, un peu troublée, quand il a lancé son manteau et s'est approché pour regarder Cal. Pendant un moment, Jenna était hésitante. Puis, elle s'est approchée de lui et lui a pris la main. Il lui a fait un petit sourire, sans plus.

— OK, tout le monde, venez à l'intérieur des cercles, je vais les refermer, a dit Cal.

Je me suis installée entre Matt et Sharon. J'essayais de ne jamais me placer à côté de Cal pendant un rituel ; je savais d'expérience que ce serait trop puissant pour pouvoir garder le contrôle. Sharon et Matt étaient inoffensifs.

— Ce soir, nous travaillerons sur des objectifs personnels, a poursuivi Cal, debout.

Il a tendu à Ethan un petit bol de sel et lui a dit de purifier le cercle. Ensuite, il a demandé à Jenna d'allumer les bâtons d'encens symbolisant l'air et à Sharon de toucher nos fronts avec une goutte d'eau provenant de l'autre bol. Le feu brûlait dans la cheminée du salon, et naturellement, nous nous en sommes servis pour symboliser le feu. Ma fatigue a commencé à diminuer tandis que je regardais tout le monde uni autour de moi dans un même but. Ce cercle me paraissait spécial d'une certaine manière, plus important, plus focalisé.

– Durant nos exercices de respiration, a dit Cal, je veux que chacun de vous se concentre sur ses objectifs personnels. Pensez à ce que vous aimeriez tirer de la Wicca et à ce que vous pouvez lui offrir en retour. Faites en sorte de l'énoncer avec autant de simplicité et de pureté que possible. Pas question de trucs du genre : «je veux une nouvelle voiture».

Tout le monde a ri.

– Ce serait davantage : «je veux être plus patient», ou «je veux être plus honnête», ou «plus courageux»... Pensez à ce que cela représente pour vous et comment la Wicca peut vous aider à y arriver. Des questions ?

J'ai secoué la tête. Il y avait tant de traits chez moi que j'aurais souhaité améliorer. Je m'imaginais être une personne souriante et sûre d'elle, ouverte, honnête et généreuse : une icône pour la Wicca… N'éprouvant ni colère, ni envie, ni avidité. J'ai soupiré. Ouais, d'accord. Mon projet était pour le moins ambitieux. Peut-être trop.

— Tout le monde se tient par la main; nous allons commencer nos exercices de respiration.

J'ai pris la main de mes voisins. Celle de Matt, qui arrivait du dehors, était encore froide. Les bracelets de Sharon cliquetaient contre mon poignet. Je prenais de lentes et profondes respirations, essayant d'abandonner la négativité et les tensions de la journée, en commençant par le sommet de ma tête. Au bout de quelques minutes, j'étais calme et concentrée, dans un état méditatif où j'étais seulement à moitié consciente de tout ce qui m'entourait. C'était bon.

— Maintenant, pensez à vos objectifs.

La voix de Cal semblait flotter dans tous les sens. Spontanément, nous avons commencé à tourner en rond, d'abord lentement, puis d'un mouvement de plus en plus rapide et fluide. Ouvrant les yeux, j'ai vu le salon telle une série de taches sombres, telle une traînée folle, tandis que nous tournions encore et encore. La cheminée marquait chaque tour, et je regardais le feu, ressentant sa chaleur, sa lumière et son pouvoir. Puis j'ai entendu Sharon murmurer, comme une brise :

– Je veux être plus ouverte.

– Je veux être heureux, a dit Ethan à son tour.

Il y a eu un moment de silence, pendant que je réfléchissais à ce que je voulais ; puis Jenna a dit :

– Je veux être plus aimable.

J'ai senti la main de Matt serrer la mienne un instant, puis il a dit :

– Je veux être plus honnête.

Il avait dit cela sur un ton hésitant, avec difficulté.

– Je veux être fort, a dit Cal dans un chuchotement.

– Je veux être quelqu'un de bon, a dit Robbie, et j'ai pensé : *mais tu l'es déjà.*

J'étais la dernière. Je sentais passer les secondes. Je ne savais toujours pas ce sur quoi j'avais le plus besoin de travailler. Néanmoins, les mots ont eu l'air de sortir de ma bouche comme une explosion, comme s'ils l'avaient décidé d'eux-mêmes. Ils sont restés suspendus dans l'air telle la fumée provenant d'un feu de brousse.

– Je veux assumer mon pouvoir.

Dès que j'ai eu dit cela, un courant est passé dans notre cercle, comme un vent fouettant un câble. C'était électrique : il m'a rechargée, si bien que j'ai senti que je pourrais voler ou danser au-dessus du sol.

Un chant m'est monté à la gorge, un chant que je ne me rappelais pas avoir entendu ou lu nulle part. Je ne savais absolument pas ce que ces mots voulaient dire, mais je les ai laissés sortir de ma bouche, comme mon souhait était sorti de moi :

An di allaigh an di aigh
An di allaigh an di ne ullah
An di ullah be nith rah
Cair di na ulla nith rah

Cair feal ti theo nith rah
An di allaigh an di aigh.

Je chantais toute seule, très doucement pour commencer, puis plus fort, entendant ma voix onduler tel un beau motif dans les airs. Les mots sonnaient comme une langue ancienne, comme du gaélique. Quelqu'un parlait à travers moi. Je m'étais perdue, mais je n'avais pas peur. J'étais euphorique. J'ai levé les bras dans les airs et j'ai continué à tourner en rond avec notre cercle. Nous étions assemblés en orbite ; les autres étaient des planètes entourant une étoile brillante, et j'étais cette étoile brillante. Une pluie argentée tombait sur ma tête, faisant de moi une déesse. Mes tresses s'étaient défaites et mes cheveux tourbillonnaient à présent en suivant le courant et en captant la lumière du feu. J'étais toute-puissante, omnisciente, omniprésente, une déesse authentique. Puis j'ai pensé que les vers que j'avais prononcés devaient être une formule magique, une formule ancienne, une formule qui appelait le pouvoir.

Elle avait appelé le pouvoir sur moi ce soir.

— Revenons sur terre.

C'était la voix de Cal. De nouveau, ses paroles semblaient venir de partout et de nulle part à la fois. Acquiesçant à sa demande, j'ai ralenti la cadence, pour finir par m'immobiliser en vacillant. J'étais aussi vieille que le temps lui-même; j'étais toutes les femmes ayant jamais dansé sous la lune, pour la magye; j'étais toutes les déesses ayant célébré la vie, la mort, la joie et le chagrin.

Soudain, dans ma tête, j'ai vu apparaître le visage de Hunter Niall, son sourire supérieur et méprisant. J'avais envie de crier : *Regarde-moi, Hunter ! Regarde mon pouvoir ! Je suis aussi forte que toi ou que n'importe quelle sorcière !*

Puis, du même coup, sans crier gare, j'ai eu peur, j'ai perdu le contrôle. Sans que Cal ait besoin de me le dire, je me suis immédiatement étendue, face contre terre, sur le plancher, les mains posées à plat près de mes épaules, afin de retenir mon énergie. Le bois était chaud et lisse sous mes joues;

l'énergie flottait sur moi et autour de moi, comme de l'eau.

Lentement, très lentement, ma respiration est revenue à la normale. La peur s'est retirée, s'affaiblissant. Je me suis rendu compte que quelqu'un me prenait la main droite.

J'ai cligné des paupières et levé les yeux. C'était Jenna.

— Je t'en prie, a-t-elle dit, en posant ma main sur sa clavicule.

Je savais qu'elle voulait que je l'aide. Une semaine plus tôt, je lui avais envoyé de l'énergie et j'avais soulagé son asthme. Mais à ce moment-ci, je ne croyais pas qu'il me restait suffisamment de forces pour accomplir quoi que ce soit. J'ai tout de même fermé les yeux et me suis concentrée sur la lumière… blanche, la lumière de guérison. Je l'ai rassemblée en moi, la faisant courir le long de mon bras, jusqu'à ma main, puis dans les poumons compressés de Jenna. Elle a respiré profondément, émettant un petit cri en sentant la chaleur l'envahir.

— Merci, a-t-elle murmuré.

Maintenant, j'étais étendue sur le flanc. Soudain, j'ai remarqué que tout le monde me regardait. De nouveau, j'étais le centre d'attention. Timidement, j'ai enlevé ma main, me demandant pourquoi c'était si naturel, une minute plus tôt, de danser seule devant tout le monde, alors que maintenant je me sentais embarrassée et timide. Qu'est-ce qui faisait que j'étais incapable de m'accrocher à cette merveilleuse sensation de force ?

Matt a mis ses mains sur les épaules de Jenna. C'était plus d'attention qu'il ne lui en avait démontré depuis son arrivée.

— Est-ce que Morgan t'a aidée à respirer ? a-t-il demandé.

Jenna a fait signe que oui, en esquissant un sourire béat.

Cal s'est accroupi à côté de moi en posant sa main sur ma hanche.

— Ça va ? a-t-il demandé, l'air excité, fébrile.

— Euh… oui, ai-je murmuré.

— D'où venait ce chant ? a-t-il demandé ensuite en me caressant doucement les cheveux. Qu'est-ce que cela t'a fait ?

— Je ne sais pas d'où c'est venu, mais j'ai eu l'impression que ce chant appelait le pouvoir sur moi, ai-je expliqué.

— C'était tellement beau, a dit Jenna.

— Passablement sorcier, s'est moquée Sharon.

— C'était super cool, a renchéri Ethan.

J'ai regardé Robbie qui m'observait calmement, une expression de satisfaction sur le visage. Je lui ai souri. À ce moment précis, mon bonheur était parfait, mais ce sentiment a cessé abruptement lorsque j'ai senti des ongles derrière mes jambes.

— Aïe !

M'assoyant à moitié, j'ai aperçu la petite tête triangulaire et pelucheuse d'un minuscule chat gris.

Il a miaulé en guise de salutation et j'ai éclaté de rire.

Jenna a souri.

— Oh, désolée. Une de nos chattes a eu des petits il y a deux mois. Nous essayons de les donner. Quelqu'un en veut-il ? a-t-elle proposé, à la blague.

J'ai pris le chaton dans mes bras. Il me regardait intensément, et je pouvais voir un monde de sagesse féline dans ses yeux bleus de bébé. Il était complètement gris, au poil court, avec un gros ventre de poupon et une queue courte et hérissée qui se tenait droite comme un point d'exclamation. Il a continué à miauler et a étiré une patte pour me toucher la joue. J'ai dit :

— Allô, me rappelant le chaton dont Maeve parlait dans son Livre des ombres.

Elle l'avait appelé Dagda. Je regardais le petit chat de Jenna, soudain convaincue qu'il m'était destiné, que c'était la plus belle façon de terminer la soirée.

— Allô, ai-je répété doucement. Ton nom est Dagda ; je vais te ramener chez moi et tu vivras avec moi. D'accord ?

Il a miaulé une autre fois, et… je suis tombée en amour.

6

La communion

Imbolc, 1993

Il y a un inquisiteur parmi nous. Il est arrivé il y a deux jours et a pris la chambre au-dessus du pub, sur Goose Lane. Il s'est longuement entretenu avec oncle Beck, hier. Oncle Beck dit qu'il va s'entretenir avec chacun de nous et que nous nous devons tous de répondre honnêtement. Mais je n'aime pas cet homme. Sa peau est blanche et il ne sourit pas. En outre, quand il me regarde, ses yeux sont comme deux trous noirs. Devant lui, je me sens froid comme le givre.

— Giomanach

— Un rat! s'est écriée Mary K., le lendemain matin, son visage collé au mien.

Pas la meilleure façon de se réveiller.

— Oh, bon Dieu, Morgan, il y a un rat! Ne bouge pas!

Évidemment, à cette heure, je me prélassais dans mon lit, et le petit Dagda en faisait autant. Il était blotti contre moi, ses petites oreilles aplaties, son corps roulé en boule. Mais il avait rassemblé assez de courage pour donner un baiser à Mary K. J'ai mis mes mains autour de lui pour le protéger.

Maman et papa ont accouru dans ma chambre, les yeux écarquillés.

— Ce n'est pas un rat, ai-je dit d'une voix enrouée.

— Non ? a demandé papa.

Je me suis redressée.

— C'est un petit chat, ai-je dit en affirmant une évidence. La chatte de Jenna a eu des petits, et elle cherchait à les donner en adoption ; alors, j'en ai pris un. Est-ce que je peux le garder ? Je paierai pour sa nourriture, sa litière, pour tous ses besoins...

Dagda s'est mis sur ses petites pattes et a regardé ma famille avec curiosité. Puis, comme s'il voulait prouver qu'il était franchement mignon, il a ouvert la bouche et a lâché un miaulement. Ils sont tous tombés sous le charme. J'ai refoulé un sourire.

Mary K. s'est assise sur mon lit et a tendu la main tout doucement. Dagda s'est avancé délicatement sur ma couette et lui a léché les doigts. Mary K. a gloussé.

– Il est très mignon, a dit maman. Quel âge a-t-il ?

– Huit semaines. Assez vieux pour être séparé de sa maman. Alors, c'est d'accord ?

Maman et papa ont échangé un regard.

– Morgan, les chats coûtent davantage que la nourriture et la litière, a dit papa. Il faut les faire vacciner, les faire suivre par le vétérinaire…

– Il faudra le faire châtrer, a ajouté maman.

J'ai souri.

– Heureusement, nous avons un vétérinaire dans la famille, ai-je dit, en pensant à la compagne de tante Eileen. Et puis, j'ai économisé quand j'ai travaillé l'été dernier.

Maman et papa ont haussé les épaules en même temps, puis ont souri.

– Je suppose que tu peux le garder, alors, a dit maman. Après la messe, nous pourrions peut-être aller à l'animalerie pour acheter tout ce qu'il faut.

— Il a faim, a annoncé Mary K., en le tenant sur son cœur.

Elle s'est redressée aussitôt et s'est dirigée vers le couloir en l'emportant comme un bébé.

— Il y a des restes de poulet, je vais lui en donner un peu.

— Ne lui donne pas de lait, ai-je lancé. Cela lui donnerait des maux de ventre.

Je me suis laissée retomber sur mes oreillers, heureuse. Dagda était officiellement membre de notre famille.

Nous étions l'avant-dernier dimanche précédant l'Action de grâces et notre église était décorée de feuilles séchées, de branches de *pyracantha* garnies de baies rouges luisantes, de cocotes de pin et de chrysanthèmes roux en pots. L'atmosphère était bonne, chaude et invitante. Je m'étais dit que ce serait bien de trouver ce genre de décorations naturelles pour notre propre maison, à l'occasion de l'Action de grâces.

D'une certaine façon, sans doute parce que je ne savais toujours pas comment la fréquentation de l'église pouvait s'accorder avec la Wicca, je me sentais étrangement détachée de tout ce qui se passait autour de moi. Je me levais lorsqu'il fallait se lever et m'agenouillais au bon moment ; je suivais même les prières et je chantais les cantiques. Mais je le faisais sans vraiment y prendre part. Mes pensées vagabondaient librement, sans aucune restriction.

Un minuscule rayon de soleil perçait à travers les nuages. La neige d'hier avait presque complètement fondu, et les vitraux, aux fenêtres de notre église, brillaient de rouges vifs, de bleus profonds, de verts purs et de jaunes cristallins. Un léger parfum d'encens emplissait l'air, et tandis que je m'enfonçais toujours plus loin en moi-même, je sentais le poids de la foule qui m'entourait. Leurs pensées ont commencé à s'immiscer en moi, leurs cœurs battant sans répit. J'ai pris une profonde respiration et j'ai fermé les yeux pour me protéger de cette intrusion.

C'est seulement après leur avoir interdit l'accès à mes sens, que j'ai rouvert les yeux. Je me sentais en paix et pleine de joie. La musique était magnifique, et les paroles des cantiques, émouvantes. Tout semblait intemporel et traditionnel. Ce n'était ni l'écorce, ni la terre, ni le sel de la Wicca, pas plus que ce n'était la captation d'énergie et le travail des envoûtements. Mais c'était beau, d'une manière toute spéciale.

Je me suis levée automatiquement quand est venu le temps de la communion. J'ai suivi mes parents et ma sœur jusqu'à la balustrade devant l'autel. Les longs cierges de l'autel brûlaient doucement, leurs flammes se reflétant sur les lampes de laiton et les lambris foncés. Je me suis agenouillée sur le coussin plat qui avait été brodé par la guilde des femmes. Ma mère avait fabriqué l'un de ces coussins.

J'ai joint les mains, en attendant que le père Hotchkiss bénisse chacune des personnes qui attendaient en ligne. Je me sentais en paix. J'avais déjà hâte de rentrer à la maison et de voir Dagda, de lire le Livre des ombres de Maeve, et de poursuivre mes recherches sur les runes. Hier soir, lorsque Cal avait dessiné des runes dans les airs autour du cercle, j'avais eu l'impression qu'il concentrait notre énergie d'une toute nouvelle manière. J'aimais les runes et je voulais en apprendre plus sur ces symboles.

À côté de moi, Mary K. a pris une gorgée de vin et l'odeur fruitée du liquide m'a monté au nez. Puis ce fut mon tour. Le père Hotchkiss se tenait devant moi et essuyait le grand calice d'argent avec un carré de lin.

— Voici le sang du Christ notre Seigneur, a-t-il murmuré. Buvez ce vin en son nom, et vous serez sauvée.

J'ai penché la tête pour en prendre une gorgée.

De façon tout à fait inattendue, le père Hotchkiss a fait un faux pas qui l'a fait basculer vers moi. Le calice lui a glissé des mains et est tombé sur le plancher de marbre blanc dans un bruit métallique ; le père Hotchkiss s'est alors retenu à la balustrade qui nous séparait.

J'ai mis ma main sur la sienne, en cherchant à croiser son regard.

— Est-ce que ça va, mon père ? ai-je demandé.

Il a fait signe que oui.

— Je suis navré, ma chère. J'ai glissé. Est-ce que je vous ai éclaboussée ?

— Non, non.

J'ai baissé les yeux : il n'y avait pas une goutte de vin sur ma robe. Le vicaire Carlson s'est empressé d'aller chercher un autre calice, et le père Hotchkiss a reculé pour lui venir en aide.

Mary K. m'attendait, l'air hésitant. Je restais agenouillée à regarder la tache sombre du vin courir sur le plancher de marbre blanc. J'étais fascinée par le contraste des couleurs.

— Que s'est-il passé, a chuchoté Mary K. Tu n'as rien ?

C'est alors que cette pensée m'est venue : Et si c'était moi qui avais fait trébucher le père Hotchkiss ? J'ai failli suffoquer, la main sur la bouche. Et si, au milieu de toutes mes réflexions sur la Wicca, une force avait décrété que ce n'était pas une bonne idée que j'aille communier ? Je me suis relevée aussi vite, les yeux écarquillés. Mary K. s'en retournait vers notre banc et nos parents, et je lui ai emboîté le pas.

Non, ai-je pensé. C'était une simple coïncidence. Ça ne voulait rien dire.

Mais, en mon for intérieur, une voix de sorcière disait mielleusement : *Les coïncidences n'existent pas. Et tout a un sens.*

Alors, qu'est-ce que ça voulait dire exactement ? Que je ferais mieux de ne plus communier ? Que je devrais arrêter de fréquenter l'église ? J'ai regardé ma mère, qui me souriait sans se douter que j'étais en proie à une grande confusion. Je remerciais le ciel qu'il en soit ainsi.

Je ne pouvais m'imaginer cessant totalement d'aller à l'église. La religion catholique faisait partie de nos liens familiaux ; elle faisait partie de moi. Mais peut-être fallait-il que je m'abstienne de communier pendant quelque temps, à tout le moins jusqu'à ce que je comprenne le sens de tout cela. Je pouvais continuer de fréquenter l'église. Je pouvais continuer à participer. Le pouvais-je ?

En me rassoyant près de Mary K., j'ai lâché un soupir. Elle m'a regardée sans dire un mot.

Chaque fois que la Wicca m'ouvrait une porte, on aurait dit qu'une autre se fermait quelque part. Il fallait que je trouve l'équilibre, d'une manière ou d'une autre.

Après le lunch au Widow's Diner, nous nous sommes arrêtés à l'épicerie. Je me suis procuré un bac, un sac de litière, une pelle ainsi qu'un sac de nourriture. Maman et papa ont acheté deux ou trois jouets pour chat, et Mary K. a fait une provision de friandises pour chat.

J'étais très touchée et je les ai serrés dans mes bras, là, dans l'allée réservée aux articles pour animaux domestiques.

Évidemment, en rentrant, nous avons constaté que Dagda avait fait pipi sur mon édredon. Il avait aussi mangé une partie de la fougère de maman, qu'il avait régurgitée sur le tapis. Et de toute évidence, il avait aiguisé ses petites griffes incroyablement acérées sur les appuie-bras du fauteuil favori de mon père.

Maintenant, il dormait sur un coussin, roulé en boule tel un escargot.

— Mon Dieu, il est si mignon, me suis-je exclamée en secouant la tête.

7

Les symboles

Ce soir, il a fallu que j'accomplisse un rituel de protection. En invoquant la Déesse, j'ai dessiné les runes aux quatre points cardinaux : Ur, Sigel, Eolh et Tyr. J'ai ensuite pris des clous en fer, que j'ai enterrés aux quatre coins, un anneau d'or au doigt. À partir de maintenant, je porterai toujours sur moi un morceau de malachite, en guise de protection.

Il y a un traqueur parmi nous.

Mais je n'ai pas peur. J'ai déjà porté le premier coup, et le traqueur a été affaibli. À mesure que le traqueur devient plus faible, mon amour, lui, est de plus en plus fort.

— Sgàth

Lundi, nous sommes arrivées en retard à l'école, Mary K. et moi. J'avais lu le Livre des ombres de Maeve jusque tard dans la nuit, et Mary K. avait eu du mal à s'endormir parce qu'elle avait eu une discussion animée et déchirante avec Bakker. Résultat : nous nous étions réveillées en retard toutes les deux. Il a fallu que nous allions au secrétariat pour y demander notre billet de retard – version de la lettre écarlate dans le système scolaire public de l'État de New York.

Les couloirs étaient déserts lorsque nous nous sommes séparées pour filer vers nos salles de classe respectives. Mon esprit vagabondait en repensant à ce que j'avais lu. Maeve avait aimé la Wicca pour les connaissances dispensées sur les herbes. Il y avait, dans son Livre des ombres, de nombreux passages où il était question de l'usage des plantes pour la pratique de la magye. Elle y expliquait comment les plantes sont affectées par la saison, la quantité de pluie tombée, la position des étoiles et les phases de la lune. Je me demandais si j'étais une descendante du clan Brightendale, le clan qui cultivait la terre pour ses pouvoirs de guérison.

Une fois en classe, je me suis rendue discrètement à ma place. Par habitude, j'ai levé les yeux vers Bree, mais elle m'a ignorée, et cela m'a agacée de constater que ça me faisait encore de la peine. Je me suis dit : *oublie-la !* J'avais déjà lu quelque part qu'il faut environ la moitié du temps qu'a duré une relation sincère pour se remettre d'une rupture. Je risquais donc d'avoir du chagrin pendant six bonnes années encore. Génial !

Je pensais à Dagda ; Bree l'aurait adoré. Elle avait aimé son chat Smokey, et sa mort, deux jours après le quatorzième anniversaire de mon amie, lui avait causé une peine terrible. Je l'avais aidée à l'enterrer dans la cour arrière.

– Hé ! Tu t'es réveillée en retard ? a dit Tamara Pritchett à voix basse.

Elle était assise juste à côté de moi ; je ne la voyais presque plus depuis que la Wicca me prenait une bonne partie de mon temps.

J'ai fait signe que oui, tout en préparant mes livres et mes cahiers pour les cours de la matinée.

— Eh bien, tu n'as pas entendu la grande nouvelle, a poursuivi Tamara.

J'ai levé les yeux.

— Ben et Janice sortent officiellement ensemble. Comme de vrais amoureux !

— Vraiment ? Génial ! me suis-je exclamée, en jetant un coup d'œil aux tourtereaux au fond de la salle.

Ils étaient assis côte à côte, chuchotant et échangeant des sourires. J'étais heureuse pour eux, et émue à la fois ; eux aussi étaient des amis que je n'avais à peu près pas vus ces derniers temps.

J'ai senti mes sens frémir et, tournant le regard, j'ai aperçu les yeux noirs de Bree posés sur moi. Leur expression intense m'a fait sursauter ; puis nous avons cligné des yeux simultanément et… c'était fini. Elle s'est retournée, et je ne savais plus trop si j'avais tout imaginé ou non. J'étais perturbée. Cal m'avait affirmé que la Wicca n'avait pas de côté obscur. Mais les deux demies d'un cercle ne s'opposent-elles pas ? Et si un côté était bon, qu'en était-il de l'autre ? J'avais détesté Sky dès qu'on me l'avait présentée. Qu'est-ce que Bree pouvait bien manigancer avec cette fille ?

La cloche a sonné pour annoncer la première période. J'étais un peu amère, me sentant comme si je n'aurais pas dû être ici. J'ai pensé à Dagda avec envie, qui était à la maison, sûrement en train de faire des ravages.

Dehors, un petit crachin avait commencé à tomber : une pluie fine et incessante qui tentait de se changer en neige, mais sans succès. J'avais les paupières lourdes. Je n'avais même pas eu le temps de prendre une gorgée de soda ce matin. Je rêvais de mon lit et, l'espace d'un instant, j'ai pensé aller chercher Cal, sortir de l'école et retourner chez moi pour me retrouver seule avec lui. Nous aurions pu nous étendre dans mon lit, lire le Livre des ombres de Maeve et discuter de magye…

La tentation était grande. À l'heure du lunch, j'étais vraiment tiraillée, même si je ne faisais jamais l'école buissonnière. Si je n'ai pas parlé de mon idée à Cal quand je l'ai vu, c'est uniquement parce que je sais qu'il arrive que maman fasse un saut à la maison au beau milieu de la journée.

— Tu as acheté un truc à manger ? m'a demandé Cal, au moment où je poussais mon cabaret sur la table.

Nos regards se sont croisés. Aussi clairement que j'entendais le cliquetis de la pluie contre les vitres, j'ai entendu dans ma tête qu'il me disait : *Tu m'as manqué ce matin.*

J'ai souri et hoché la tête en m'assoyant face à lui, à côté de Sharon.

— Je me suis réveillée en retard et je n'ai pas eu le temps de me faire un lunch.

— Hé, Morgan, a dit Jenna en repoussant ses cheveux couleur de blé dans son dos. Tu te rappelles ces mots que tu as prononcés l'autre soir ; ils étaient si extraordinaires ! Je n'arrive pas à me les sortir de la tête.

— Ouais, c'est drôle, ai-je admis avec un haussement d'épaules. J'ignore d'où ils sont venus. Je n'ai pas eu le temps de faire une recherche. En les prononçant, j'ai cru qu'il s'agissait d'une formule pour appeler à moi le pouvoir de la magye. Mais je ne sais pas. Ces mots sonnaient vraiment très anciens.

— Ça donnait la chair de poule, a murmuré Sharon en esquissant un petit sourire forcé. Tu comprends, c'était magnifique, mais c'est étrange que des mots d'une langue que tu ne connais même pas puissent sortir de ta bouche, a-t-elle poursuivi en ouvrant son gobelet de soupe.

J'ai levé les yeux vers Cal.

— As-tu reconnu ce dialecte ?

— Non… Mais j'y ai repensé et il me semble l'avoir déjà entendu auparavant. J'aurais dû enregistrer notre réunion. J'aurais pu faire écouter l'enregistrement à ma mère pour voir si ça lui disait quelque chose.

— Super ! tu parles d'autres langues, a lancé Ethan pour se moquer. Comme cette fille dans *L'Exorciste*.

— Oui, super, ai-je répliqué les lèvres pincées, ce qui a fait rire Robbie.

Cal m'a jeté un regard complice.

— En veux-tu ? a-t-il demandé, en me tendant un morceau de sa pomme.

Sans réfléchir, j'en ai pris une bouchée. Cette pomme était incroyablement délicieuse. Je l'ai regardée : c'était une pomme bien ordinaire, mais elle était mûre, sucrée et juteuse à souhait.

— Ça c'est une pomme, ai-je dit, ravie. Elle est parfaite. C'est la superpomme.

— Les pommes sont d'importants symboles, a expliqué Cal. En particulier pour la Déesse.

Il a repris son canif et en a coupé un autre morceau, mais à l'horizontale cette fois-ci. Il a pris la tranche et l'a tenue dans les airs.

— Un pentacle, a-t-il dit en montrant du doigt le motif qu'avaient tracé les pépins.

C'était une étoile à cinq pointes, contenue dans le cercle du cœur de la pomme. J'ai fait :

— Ouah!

— Génial! a dit Matt.

Jenna l'a regardé, mais il n'a rien remarqué.

— Tout a un sens, a énoncé Cal doucement, en croquant dans sa pomme.

Je lui ai jeté un regard incisif, me rappelant ce qui s'était passé hier à l'église.

Bree était assise à l'autre bout de la cafétéria, entourée de Raven, Lin Green, Chip Newton et Beth Nielson. Je me demandais si elle aimait la compagnie de sa nouvelle bande… des gens qu'elle traitait autrefois de *potteux,* et elle disait d'eux qu'ils gaspillaient leur jeunesse. Son ancienne bande — Nell Norton, Alessandra Spotford, Justin Bartlett et Suzanne Herbert — occupait la table près des fenêtres. Sans doute pensaient-ils que Bree était folle.

— Je me demande comment s'est déroulé le cercle de Bree et Raven samedi, ai-je marmonné, à moitié pour moi-même. Robbie, es-tu au courant ? As-tu parlé à Bree ?

Robbie a haussé les épaules sans cesser de manger sa pizza.

— Ça s'est très bien passé, a dit Matt, l'air absent.

Puis il a cligné des yeux et froncé les sourcils, comme étonné d'avoir ouvert la bouche.

Jenna l'a regardé.

— Qui t'a dit ça ?

Matt a rougi et haussé les épaules, le nez dans son assiette.

— Euh, j'ai parlé à Raven durant le cours d'anglais, a-t-il fini par articuler. Elle a dit que c'était bien.

Jenna gardait les yeux sur Matt en ramassant son cabaret. De nouveau, je me suis rappelé avoir vu la voiture de Matt et celle de Raven sur le bord de la route. Je me demandais ce que cela pouvait vouloir dire, lorsque j'ai entendu le rire de Mary K., quelques tables plus loin. Elle était assise à côté de Bakker, avec son amie Jaycee, la sœur aînée de celle-ci et d'autres copains. Mary K. et Bakker se regardaient dans les yeux. J'ai secoué la tête. Il l'avait convaincue. Mais il ferait bien de se tenir tranquille.

— Que fais-tu cet après-midi ? m'a demandé Cal dans le stationnement du collège.

La pluie n'avait pas cessé de tomber, et un vent glacial s'était mis à souffler.

J'ai jeté un œil à ma montre.

— À part attendre ma sœur, rien. Il faut aussi que je prépare le souper.

Robbie venait vers nous en contournant les véhicules.

— Hé, qu'est-ce qui se passe avec Matt ? a-t-il demandé. J'ai l'impression qu'il ménage la chèvre et le chou.

— Ouais, j'ai remarqué la même chose, ai-je répliqué. Un peu comme s'il voulait rompre avec Jenna, sans vraiment le vouloir.

Cal a souri.

— Je ne les connais pas aussi bien que vous les connaissez, a-t-il dit en me prenant par la taille. Matt n'est donc pas comme d'habitude ?

— C'est ça. Pas que nous soyons les meilleurs copains au monde, mais il m'a l'air de ne pas être dans son assiette. Normalement, il est très direct, toujours très franc, a ajouté Robbie en hochant la tête.

— C'est vrai, ai-je répliqué. Maintenant, on dirait qu'il se passe quelque chose.

J'aurais voulu leur parler des voitures de Matt et de Raven, mais j'ai eu peur d'avoir l'air de potiner. Je n'étais même pas certaine que ça veuille dire quelque chose. J'avais soudain envie d'être encore proche de Bree. Elle aurait su trouver la signification à tout cela..

— Morgan ! Mary K. m'a demandé de te dire que Bakker allait la raccompagner, a crié Jaycee ; puis elle a fait un salut de la main et s'est éloignée en faisant valser sa queue de cheval blonde.

— Merde ! Il faut que je rentre.

— Qu'est-ce qui ne va pas ? Veux-tu que je vienne avec toi ? a demandé Cal.

— J'aimerais bien... Ce serait utile d'avoir un allié, au cas où il me faudrait sortir Bakker de chez nous à coups de pieds au derrière, encore une fois.

— À bientôt, Robbie, ai-je lancé encourant vers ma voiture.

Je pensais : *enfer et damnation, Mary K. ! Ce que tu peux être stupide !*

8

Mùirn beatha dàn

Ostara, 1993

Tante Shelagh m'a dit qu'elle a déjà vu quelqu'un à qui on avait passé les menottes, lorsqu'elle était enfant et qu'elle rendait visite à sa grand-mère, en Écosse. Une sorcière de la région avait vendu des potions, des charmes et des formules magyques destinés à causer du tort. Un été, le traqueur s'est pointé, et ma tante était là...

Shelagh dit s'être réveillée en pleine nuit en entendant des cris et des hurlements. Tout le village s'est levé pour voir le traqueur emmener l'herboriste. Au clair de lune, Shelag avait vu luire des menottes d'argent aux poignets de l'herboriste; elle avait vu que la chair avait été brûlée. Le traqueur avait emmené la femme, et personne ne l'a *plus jamais revue, bien que la rumeur ait couru qu'elle vivait dans les rues d'Édimbourg.*

D'après tante Shelagh, la femme n'aurait plus jamais été capable de pratiquer la magye, bonne ou mauvaise. J'ignore d'ailleurs combien de temps elle aurait accepté de vivre ainsi. Mais Shelagh a également dit qu'il lui avait suffi d'un seul regard à l'herboriste menottée, pour qu'elle se fasse la promesse de ne jamais, au grand jamais, utiliser son pouvoir à mauvais escient. Elle a dit que c'était horrible. Terrible à voir. Elle m'a raconté cette histoire le mois dernier, lorsque le traqueur était ici. Mais il n'a emmené personne, et notre cercle est en paix une fois de plus.

Je suis content qu'il soit reparti.

— Giomanach

J'ai roulé jusqu'à la maison aussi vite que j'ai pu, considérant que les rues étaient comme une patinoire sans fin. La température continuait à chuter et l'air était sec et froid à vous geler les os, comme nous en avons l'habitude à Widow's Vale.

— Je croyais que Mary K. avait rompu avec Bakker, après ce qui s'est produit l'autre soir, a dit Cal.

— Oui, ai-je grommelé. Mais il l'a suppliée de le reprendre, lui disant qu'il était désolé, que c'était une erreur, que cela ne se reproduirait jamais, bla bla bla…

J'étais tellement en colère que j'en avais des trémolos dans la gorge.

Ma voiture a légèrement dérapé lorsque j'ai tourné dans notre entrée. La voiture de Bakker était garée dans la rue. J'ai claqué la portière et couru jusqu'à l'entrée. Mary K. et Bakker étaient enlacés sur les marches d'en avant, tremblants et quasiment bleus tellement ils étaient frigorifiés. Soulagée, j'ai demandé :

— Qu'est-ce que vous faites là ?

— Je voulais t'attendre pour rentrer, a marmonné Mary K.

En mon for intérieur, j'ai applaudi son gros bon sens.

— Alors, entrons, ai-je dit en ouvrant la porte. Mais vous restez en bas tous les deux.

— OK, a grommelé Bakker, qui avait du mal à articuler. Du moment qu'il fait chaud.

Comme j'étais ressortie pour étendre du sel sur le seuil et les marches de l'entrée, afin que mes parents n'aient pas trop de problèmes en rentrant, Cal a mis du cidre à chauffer. C'était bon de rentrer au chaud. J'ai haussé le thermostat, puis je suis allée rejoindre ma sœur, Bakker et Cal dans la cuisine. C'était à mon tour de préparer le dîner. J'ai lavé quatre pommes de terre, puis les ai piquées à l'aide d'une fourchette avant de les mettre au four.

— Hé, Morgan, est-ce que nous pouvons aller en haut une petite seconde ? s'est hasardée Mary K. en serrant sa tasse. Tous les CD sont dans ma chambre.

Depuis que j'avais rencontré Cal, j'avalais des tonnes de cidre ; ça vous réchauffait vraiment les jours de grand froid.

J'ai fait signe que non.

— Tant pis, ai-je dit pour couper court, tout en soufflant sur mon cidre pour le refroidir. Vous restez en bas, ou maman va en entendre parler.

Mary K. a poussé un soupir. Puis, elle et Bakker ont apporté leurs sacs dans la salle à manger et ont commencé à faire leurs devoirs. À tout le moins faisaient-ils semblant de les faire.

Aussitôt ma sœur partie, j'ai fait des cercles avec ma main gauche au-dessus de ma tasse, dans le sens contraire des aiguilles d'une montre et j'ai dit à voix basse : *Calme le feu*. La gorgée que j'ai prise ensuite était à la bonne température. J'exultais. J'adorais être une sorcière !

Cal a dit en souriant :

— Maintenant, dis-moi, est-ce que nous sommes obligés de rester ici nous aussi ?

J'ai pris le temps de soupeser les alléchantes possibilités qui s'offraient à nous si je ne mettais pas ce que je prêchais en pratique, mais j'ai fini par répondre en soupirant :

— J'ai peur que oui. Maman ne s'en remettrait pas si elle savait que je suis montée dans ma chambre avec un mauvais garçon, en son absence. Je parierais que tu as une seule chose en tête en ce moment…

— Ouais, a répondu Cal en éclatant d'un grand rire. Mais c'est une chose délicieuse, si tu veux savoir.

Dagda était entré dans la cuisine en miaulant. J'ai déposé ma tasse de cidre et je l'ai pris dans mes bras. Il s'est mis à ronronner très fort en tremblant de tout son petit corps.

— Il va dans ta chambre, a crâné Cal, et c'est un garçon.

J'ai souri.

— Et ils ne font pas d'histoire lorsqu'il couche avec moi.

Tandis que j'emportais Dagda dans le séjour, Cal me suivait en grognant devant une telle injustice. Lorsqu'il s'est assis à côté de moi, j'ai senti la chaleur de sa jambe contre la mienne. Je lui souriais, mais son visage était soudain devenu sérieux. Il m'a caressé les cheveux et a suivi du bout des doigts la ligne de mon menton.

— Qu'est-ce qui ne va pas ?

— Tu me surprends tout le temps, a-t-il répondu inopinément.

— Comment ça ?

Je caressais la tête de Dagda qui ronronnait, roulé en boule sur mes genoux.

— C'est que tu es... différente de ce que j'avais pensé.

Puis, le bras posé sur le dossier du sofa, il s'est penché vers moi, comme s'il voulait mémoriser les traits de mon visage, mes yeux. Il paraissait si sérieux que je ne savais plus quoi penser.

— À quoi t'attendais-tu, alors ? ai-je demandé, en humant le parfum frais de lessive de sa chemise.

Je nous imaginais nous embrassant, étendus sur le canapé. Nous aurions pu le faire. Je savais que Mary K. et Bakker étaient dans la pièce à côté et qu'ils ne nous dérangeraient pas. Mais soudain, je me suis sentie moins sûre de moi, me rappelant une fois de plus que j'avais presque 17 ans et qu'il était le premier garçon à avoir voulu sortir avec moi, le premier à m'avoir embrassée.

— Tu t'attendais à me trouver ennuyeuse ? Genre glace à la vanille ?

J'ai vu des plis se former au coin de ses yeux dorés, et il a passé un doigt sur mes lèvres.

— Non, bien sûr que non. Mais tu es tellement forte. Tellement intéressante.

Pendant une fraction de seconde, il a froncé les sourcils, comme s'il regrettait ce qu'il venait de dire.

– C'est-à-dire que, dès que je t'ai vue, je t'ai trouvée intéressante, jolie et tout le reste, et j'ai tout de suite deviné que tu avais un talent inné pour la sorcellerie. Je voulais me rapprocher de toi. Mais tu es tellement plus que ce à quoi je m'attendais. Plus je te connais, plus je sens que tu es mon égale, une vraie partenaire. Comme j'ai dit, ma *mùirn beatha dàn*. Je dois avouer que c'est colossal quand on y pense, a-t-il ajouté en secouant la tête. Je n'ai jamais senti cela auparavant.

Je ne savais pas quoi dire. Je le regardais, toujours aussi étonnée de ce que je découvrais, toujours émerveillée par les sentiments qu'il éveillait en moi. Puis, je me suis entendue lui susurrer à l'oreille :

– Embrasse-moi.

Il s'est penché et a pressé ses lèvres contre les miennes.

Au bout d'un long moment, impatienté, Dagda a changé de position sur mes genoux. Cal a ri et a secoué la tête, puis il s'est reculé, comme pour mieux juger de mes capacités. Il a ensuite pris un bloc-notes et un crayon dans son sac et me les a tendus.

— Voyons si tu peux écrire tes runes.

J'ai hoché la tête. Nous ne nous embrassions pas, mais c'était magyque. J'ai entrepris de dessiner, de mémoire, les 24 runes. Il y en avait d'autres, je le savais, des runes plus anciennes, mais celles-ci étaient reconnues comme étant les runes de base.

— Feoh, pour la richesse, ai-je dit doucement, en traçant une ligne verticale, puis deux obliques pointant vers le haut à droite.

— Et pour quoi d'autre ?

— La prospérité, l'augmentation et le succès.

Je réfléchissais.

— Tout ce que l'on réussit. Et celle-ci, c'est Eolh, pour la protection, ai-je repris en traçant une forme qui ressemblait au logo de Mercedes à l'envers. Elle est très positive. Voici Geofu, qui signifie le don ou le partenariat, la générosité, la consolidation des amitiés ou d'autres relations. L'union du Dieu et de la Déesse.

— Excellent, a dit Cal en hochant la tête.

J'ai continué ainsi jusqu'à ce que je les aie toutes dessinées, de même qu'un espace vierge pour Wyrd, la rune sans inscription, symbolisant ce que l'on ne devrait pas savoir : un savoir dangereux ou nuisible, une piste à éviter. Dans l'ensemble des runes, elle était représentée par un rectangle vierge.

— C'est parfait, Morgan, a chuchoté Cal. Maintenant, ferme les yeux et pense à ces runes. Fais glisser tes doigts sur la page, et arrête-toi quand tu sens que c'est le temps d'arrêter. Ensuite, regarde la rune qui est sous ton doigt.

J'adorais ce genre d'exercice. J'ai fermé les yeux et passé mon doigt sur la feuille. Au début, je ne sentais rien, mais je me suis concentrée pour tâcher d'oublier tout le reste. J'entendais le murmure des voix de Mary K. et de Bakker dans la salle à manger, le tic-tac de l'horloge coucou que mon père avait montée lui-même pièce par pièce, le grondement subtil de la fournaise.

Je ne sais pas combien de temps j'ai mis avant de me rendre compte que le bout de mon doigt captait des impressions : la douceur d'une plume, la fraîcheur d'une pierre, un chaud fourmillement... étaient-ce les images des runes ? Je me suis complètement abandonnée à leur magye, au point de me perdre dans leur pouvoir. Là, oui... il y avait un endroit où la sensation était plus aiguë. Chaque fois que je repassais dessus, la rune m'appelait. J'ai laissé mon doigt à cet endroit précis et j'ai rouvert les yeux.

Mon doigt s'était arrêté sur Yr : le symbole de la mort.

J'ai froncé les sourcils.

— Qu'est-ce que ça signifie ?

— Hum, a fait Cal en regardant la feuille, le menton dans la main. Eh bien, tu sais, on peut interpréter Yr de différentes façons. Ça ne signifie pas que toi ou quelqu'un que tu connais va mourir. Ça peut simplement annoncer la fin d'une chose et le commencement d'une autre ; un changement important, pas nécessairement mauvais.

Le symbole en double hameçon de Yr se détachait en noir sur la feuille blanche. La mort. L'importance des fins. On aurait dit un présage. Un présage effrayant. J'ai senti monter une bouffée d'adrénaline qui a fait battre mon cœur à tout rompre.

Puis, j'ai entendu la porte de derrière s'ouvrir.

— Allô ! a lancé maman. Morgan ? Mary K. ? Allô, Bakker. Mary K., est-ce que ta sœur est là ?

Je savais qu'elle voulait dire : pour l'amour du ciel, j'espère que tu n'es pas seule ici avec un garçon !

— Je suis ici, ai-je dit, cachant la feuille avec les runes dans ma poche.

Puis je suis sortie du séjour avec Cal. J'ai vu le doute dans les yeux de maman, et je savais parfaitement ce qui lui passait par la tête à ce moment-là. Mes filles, seules à la maison avec deux garçons. Mais nous étions tous au rez-de-chaussée, décemment vêtus ; Mary K. et Bakker étaient tout bonnement assis à la table de la salle à manger. À son expression, j'ai vu que notre mère avait décidé de ne pas trop s'en faire.

— As-tu mis des pommes de terre au four ? s'est-elle enquise en humant l'air.

— Ouais.

— Penses-tu qu'on pourrait les faire en purée ? J'ai invité Eileen et Paula à souper, a-t-elle ajouté en brandissant un dossier : J'ai quelques bonnes suggestions de maisons pour elles.

— Super ! Oui, on peut faire de la purée ; comme ça, il y en aura pour tout le monde. Je vais cuisiner des hamburgers et on ne risque pas de manquer de viande.

— Formidable ! Merci ma chérie, a conclu maman avant de monter à l'étage pour se changer.

Puis j'ai entendu Bakker dire, à contrecœur :

— Je crois que je vais y aller.

— Bien ! me suis-je dit.

— Moi aussi, a dit Cal. Bakker, peux-tu me raccompagner au collège ? J'ai laissé ma bagnole là-bas.

— Pas de problème, a répondu Bakker.

Je suis sortie sur le seuil avec Cal, où nous nous sommes enlacés. En m'embrassant dans le cou, il a chuchoté :

— Je t'appelle plus tard. Ne te tracasse pas trop avec le sens de Yr. C'était simplement un exercice.

— OK, ai-je dit en soupirant, même si je ne savais pas trop quoi en penser. Merci d'être venu.

Tante Eileen est arrivée la première.

— Salut! a-t-elle lancé en enlevant son manteau. Paula a téléphoné et elle m'a dit qu'elle serait en retard de quelques minutes : une chienne chihuahua qui aurait du mal à mettre bas.

Je souriais un peu jaune. Je n'avais pas revu Eileen depuis la fois où, durant un souper de famille, deux semaines plus tôt, je lui avais demandé pourquoi elle ne m'avait pas dit que j'avais été adoptée. J'étais un peu mal à l'aise, car je n'étais pas sûre si maman l'avait tenue au courant des derniers événements. J'ai dit :

— Salut, tantine. Je... je suis désolée d'avoir fait une scène la dernière fois. Tu sais...

En guise de réponse, elle m'a serrée très fort dans ses bras.

— Ça va, mon chou, a-t-elle chuchoté à mon oreille. Je comprends. Je ne t'en veux pas du tout.

Nous nous sommes souri, et j'ai su tout de suite que tante Eileen allait tout faire pour que les choses reviennent à la normale. Puis elle a baissé les yeux et s'est arrêtée net, en pointant du doigt la jupette du La-Z-Boy de papa, où l'on voyait dépasser un petit derrière gris et une queue.

J'ai éclaté de rire en soulevant Dagda.

— Voici Dagda, ai-je dit en le caressant derrière les oreilles. C'est mon nouveau chaton.

— Oh, bon sang, a dit Eileen en lui caressant la tête. Je suis désolée, j'ai cru que c'était un rat.

— Tu devrais avoir l'œil, pourtant, l'ai-je taquinée en déposant Dagda sur le fauteuil. Tu sors avec une vétérinaire.

Tante Eileen a ri.

— Je sais, je sais.

Quelques minutes après, Paula est arrivée, les cheveux défaits par le vent et le nez rose à cause du froid.

— Bonjour. Est-ce que le chihuahua va bien ?

— Très bien, et elle est l'heureuse maman de deux chiots, a-t-elle ajouté en me serrant dans ses bras. Oh ! quel mignon petit chat ! s'est-elle exclamée en apercevant Dagda sur le fauteuil de papa.

J'ai rougi. Enfin ! Quelqu'un qui reconnaissait le trésor qu'était Dagda. J'avais toujours aimé la nouvelle copine de tante Eileen, mais je constatais tout à coup qu'elles formaient le couple idéal. Peut-être même que Paula était la *mùirn beatha dàn* d'Eileen.

J'ai souri en pensant à cela. Tout le monde méritait de trouver son âme sœur. Mais évidemment, tout le monde n'avait pas autant de chance que moi. J'avais Cal.

9

La confiance

La magye opère, comme je m'en doutais. Le traqueur ne m'effraie plus autant. Je crois que de nous deux, c'est moi le plus fort, en particulier avec le pouvoir des autres derrière moi.

Bientôt, je serai uni avec mon amour. Je comprends l'urgence, mais j'aimerais qu'ils me fassent confiance et me laissent mener cela à ma façon, à mon rythme. Ces derniers temps, je veux de plus en plus le faire pour moi. Mais il faut que je choisisse le moment idéal. Je n'ose pas l'effrayer ; j'ai trop à perdre.

J'ai lu les textes anciens, ceux où il est question d'amour et d'union. J'ai même recopié mon passage préféré du Chant de la Déesse : « Donner du plaisir à toi et aux autres : voilà mon rituel. T'aimer toi-même et aimer les autres :

voilà mon rituel. Glorifie ton corps et ton esprit avec joie et passion ; c'est ainsi que tu me vénéreras. »

— Sgàth

— J'espère que tu sais que tu ne peux pas faire confiance à Bakker, ai-je dit à Mary K., le lendemain matin. J'essayais de ne pas paraître moralisatrice, mais c'est exactement comme ça que ça sonnait.

Mary K. n'a rien dit et s'est contentée de regarder par la vitre de la voiture. Le givre couvrait tout, formant des motifs de dentelle en sucre glace.

Je conduisais lentement, essayant d'éviter les plaques de glace qui s'étaient formées dans les rues venant d'être déblayées. À l'intérieur de Das Boot, mon souffle formait un voile blanc.

— Je sais qu'il s'en veut, ai-je poursuivi, malgré l'indifférence apparente de ma sœur. Et je crois qu'il t'aime bien. Mais je me méfie de son tempérament.

— Alors, ne sors pas avec lui, a grogné Mary K.

Une alarme a sonné dans ma tête. Je le critiquais, et elle le défendait. Je faisais exactement ce que je redoutais : je les poussais dans les bras l'un de l'autre. J'ai respiré profondément, me disant en moi-même : *Déesse, guide-moi.*

— Tu sais, ai-je fini par dire, à quelques coins de rue du collège, je crois que tu as raison. Je parierais que c'était une erreur stupide qui ne se reproduira pas. Vous en avez discuté, c'est ça ? Et il est réellement désolé. Je suppose donc que ça ne se reproduira jamais, ai-je poursuivi sans attendre la réponse.

Mary K. m'a jeté un regard suspicieux, mais je n'ai rien laissé voir et je suis restée concentrée sur la route.

— Il est désolé, a dit ma sœur. Il est très mal à l'aise d'avoir agi ainsi. Il n'a jamais voulu me faire de mal. Et maintenant, il sait qu'il doit m'écouter.

J'ai hoché la tête.

— Je sais qu'il t'aime bien.

— C'est vrai, a dit Mary K.

À l'évidence, elle était très sûre d'elle. J'en avais mal au cœur. C'était plus fort que moi, j'avais peur que Bakker tente de nouveau de forcer Mary K. à faire des choses qu'elle ne voulait pas.

S'il osait, je le lui ferais payer.

Je suis arrivée au collège assez tôt pour voir Cal avant que la cloche sonne. Il m'attendait près de l'entrée est, où notre cercle se retrouvait quand il faisait beau.

— Salut, a-t-il dit en m'embrassant. Viens, nous avons trouvé un nouveau coin pour nous réunir. Un coin plus chaud.

Une fois à l'intérieur, nous avons dépassé l'escalier menant au deuxième étage et tourné le coin. Il y avait un autre escalier menant à la cave de l'immeuble. À part le concierge, personne n'était censé y descendre. Mais Robbie, Ethan, Sharon et Jenna étaient assis sur les marches ; ils discutaient et riaient.

— Morganita, a dit Robbie, en utilisant un surnom qu'il m'avait donné en cinquième année du primaire.

Ça faisait des années que je ne l'avais pas entendu et ça m'a fait sourire.

— On parlait justement de ton anniversaire, a ajouté Jenna.

— Oh ! Comment avez-vous su que mon anniversaire approchait ?

— Je leur ai dit, a repris Robbie, en buvant son jus d'orange à la paille. Le chat est sorti du sac.

— Parlant de chat, comment va Dagda ? s'est informée Jenna.

Pendant une fraction de seconde, les longs jeans noirs de Matt m'ont caché la vue quand il est venu s'asseoir sur les marches au-dessus de Jenna. Elle lui a fait un petit sourire, mais n'a pas réagi lorsqu'il lui a touché l'épaule.

— Il va bien et il grossit très vite !

— Alors, c'est ton anniversaire ce week-end ? a repris Sharon.

— Dimanche.

— On devrait faire un cercle spécial d'anniversaire samedi, a proposé Jenna. Avec un gâteau et tout le tralala...

Sharon a fait signe que oui.

— Ce serait super.

— Hum, je ne peux pas samedi soir, a marmonné Matt en se passant la main dans les cheveux.

Tout le monde le regardait.

— J'ai une réunion de famille, a-t-il ajouté, mais son excuse sonnait faux.

En voyant comment Jenna le regardait, je me suis dit qu'il était le pire menteur au monde.

— Au fait, est-ce qu'on pourrait fêter ton anniversaire une autre fois ? a demandé Robbie. Moi non plus, je ne détesterais pas sauter un samedi soir, pour une fois.

— Pourquoi ?

— Bree a beaucoup insisté pour que j'assiste à l'un de leurs cercles, a-t-il fini par admettre.

J'ai été étonnée de son honnêteté, pas de façon négative, mais j'ai tout de même senti monter une nouvelle bouffée de colère contre Bree. Robbie a haussé les épaules et poursuivi :

— Je n'ai pas l'intention de me joindre à leur cercle, mais je ne crois pas que ce soit une mauvaise idée d'aller à l'une de leurs réunions, de voir ce qu'ils font.

— Tu veux dire espionner, a demandé Jenna d'une voix douce.

De nouveau, Robbie a haussé les épaules.

— Je suis curieux, c'est tout. J'aime bien Bree. Je veux savoir ce qu'elle fabrique.

J'ai dégluti et me suis efforcée de hocher la tête avant de répliquer :

— Je pense que c'est une bonne idée.

Je n'en revenais pas que Bree essaie de débaucher des membres de notre assemblée, mais d'un autre côté, j'étais contente que Robbie veuille garder un œil sur elle et s'assurer qu'elle ne posait pas de gestes inconsidérés.

— Je ne sais pas, a dit Cal en allongeant la jambe pour descendre de deux marches. La continuité est l'une des choses qui importent le plus dans la Wicca. L'idée est d'entrer en contact au jour le jour : c'est le cycle annuel, la roue qui tourne. Se réunir tous les samedis, s'y engager, ça fait partie de la Wicca. Ce n'est pas une obligation à laquelle tu peux te soustraire quand bon te chante.

Matt regardait le plancher. Mais Robbie regardait Cal calmement.

– Je comprends ce que tu dis, a répondu Robbie. Et je suis d'accord. Mais je ne fais pas cela rien que pour moi, et ce n'est pas parce que je suis paresseux ou que je veux regarder le match. J'ai besoin de savoir ce qui se passe avec Bree et son cercle, et c'est la seule manière de le savoir.

J'étais surprise de l'assurance tranquille dont Robbie faisait preuve. Son acné et ses lunettes étaient choses du passé depuis que je lui avais jeté un sort. Mais en même temps, j'avais l'impression que quelque chose avait guéri en lui, une chose qui n'avait rien à voir avec ma magye. Après avoir été, des années durant, un type plutôt mal dans sa peau, il devenait lui-même et puisait sa force à d'autres sources. C'était beau à voir.

Cal est resté silencieux un moment. Lui et Robbie ne se lâchaient pas des yeux. Il y a un mois, je n'aurais jamais pu croire que Robbie puisse tenir tête à quelqu'un d'aussi solide que Cal, mais maintenant, ils ne me paraissaient plus aussi différents.

Finalement, Cal a fait signe que oui, puis a lâché un soupir.

— Ouais, OK. Cela ne nous tuera pas de faire une petite pause. Comme nous sommes seulement sept, s'il y en a deux qui ne peuvent pas venir samedi, le cercle risque de manquer d'équilibre. Alors, prenons congé samedi soir et nous nous réunirons en fin de semaine prochaine.

— Et alors, nous nous reprendrons pour le gâteau d'anniversaire de Morgan, a ajouté Robbie en me souriant.

— Hum, a fait Sharon en se raclant la gorge… le moment est mal choisi, je le crains, pour mentionner que samedi prochain, je serai à Philadelphie à l'occasion de l'Action de grâces.

Cal s'est mis à rire.

— Eh bien, nous ferons de notre mieux. C'est toujours difficile quand il y a des fêtes, avec toutes les réunions de famille, et tout et tout. Et toi, Matt ? Pourras-tu être là samedi prochain ?

Matt a automatiquement fait signe que oui, et je me suis demandé si seulement il avait entendu la question. La cloche a sonné, et nous nous sommes tous levés en même temps. Jenna a mis sa main dans celle de Matt en le regardant droit dans les yeux. Il avait l'air tendu, les traits tirés. J'aurais bien aimé savoir ce qui se tramait.

Dans les corridors, les étudiants se déplaçaient par groupes ; j'allais entrer dans ma classe quand j'ai senti la main de Cal sur ma manche.

– Samedi, nous pourrions faire un cercle d'anniversaire, rien que toi et moi, a-t-il chuchoté à mon oreille. Ce pourrait être bien.

J'ai frissonné de plaisir.

– Ce serait génial, ai-je dit en plongeant mes yeux dans les siens.

– Bien. Je vais organiser quelque chose de spécial.

Dans la classe, j'ai vu que Tamara était absente, et Janice m'a appris qu'elle était enrhumée. Il semblait bien que tout le monde avait le rhume ces jours-ci.

Bree n'était pas là non plus, mais au bout d'un moment, je l'ai vue debout dans le corridor. Maquillée à gros traits de charbon, comme Raven, elle était vêtue de noir de la tête aux pieds, ce qui obscurcissait la beauté naturelle de son visage ; cela la rendait anonyme en quelque sorte, comme si elle avait porté un masque. Ça m'a rendue mal à l'aise. Elle discutait avec Chip Newton, à voix basse. Ils sont entrés ensemble et sont allés s'asseoir.

J'ai dégluti. Chip était mignon et me paraissait plutôt gentil. En plus, il était brillant en mathématiques, beaucoup plus que moi, ce qui n'est pas peu dire. Mais Chip était aussi le plus gros revendeur de l'école. L'année dernière, Anita Fleming s'était retrouvée à l'hôpital après avoir ingurgité une trop grande quantité de Seconal, que Chip lui avait procurée. Je me demandais donc s'il était vraiment aussi gentil qu'il en avait l'air.

Que fais-tu avec lui, Bree ? lui ai-je demandé en silence. Et que trames-tu avec ton cercle ?

Plus tard ce matin-là, j'étais dans une cabine des toilettes du premier étage, quand j'ai entendu la voix de Bree, puis celle de Raven. Vite, j'ai relevé les pieds et les ai appuyés contre la porte, afin que nul ne se doute que la cabine était occupée. Je n'avais simplement pas envie de me retrouver face à face avec elles, de sentir leur regard méprisant sur moi.

— Où est-ce qu'on se rencontre ? a demandé Raven.

J'ai entendu Bree fouiller dans son sac à main ; je l'imaginais cherchant son rouge à lèvres. Puis elle a répondu :

— Chez Sky.

J'ai tendu une oreille plus attentive. Il était sans doute question de leur nouveau cercle.

— C'est tellement génial qu'ils aient leur propre appartement, a poursuivi Raven. Après tout, ils sont à peine plus âgés que nous.

Je respirait silencieusement, absorbée par ce qui ce disait.

— Ouais ! Que penses-tu de lui ? a dit Bree.

— Il est irrésistible, a répondu Raven, et elles ont éclaté de rire. Mais c'est Sky qui m'impressionne. Elle sait tout, elle est tellement géniale, et elle a des pouvoirs formidables. Je voudrais être comme elle.

J'ai entendu d'autres froissements, puis l'une d'elles a fait couler l'eau du robinet pendant un moment.

— Ouais, a repris Bree. Ce qu'elle nous a raconté samedi soir, est-ce que tu as trouvé cela étrange ?

— Pas vraiment. C'est vrai, chaque chose a un côté clair et un côté obscur, non ? Il faut le savoir.

— Ouais.

Bree semblait réfléchir, et je me demandais ce que Sky avait pu leur raconter. Était-elle en train de les entraîner dans la magye noire ? Ou leur montrait-elle simplement une partie de la grande roue wiccane, comme Cal me l'avait expliqué. Ça n'avait pas l'air…

— Tu as le cheveu, n'est-ce pas ? a voulu savoir Raven.

— Oui, a fait Bree, et son ton m'a paru presque… déprimé.

J'avais du mal à suivre la conversation. De quel cheveu parlaient-elles ?

— Qu'est-ce qui ne va pas ? a demandé Raven. Sky nous a promis que personne ne serait blessé.

— Je sais, a marmonné Bree. C'est juste que, tu sais, j'ai trouvé ce cheveu dans ce vieux peigne…

— Morgan va s'en sortir, l'a interrompue Raven.

— Je ne parlais pas d'elle, a tranché Bree. Je ne m'inquiète pas pour Morgan.

Tout devenait clair. J'ai ouvert grand les yeux et j'ai mordu ma lèvre pour empêcher un hoquet de stupeur de s'échapper de ma bouche. Bree parlait de mon cheveu. Je n'arrivais pas à le croire. Elle allait apporter un de mes cheveux à une étrangère — une sorcière — à mon insu.

Je ne voyais qu'une raison à cela : Sky voulait un de mes cheveux pour me jeter un sort. Alors, comment Bree avait-elle pu acquiescer à sa demande ? Croyait-elle vraiment que Sky n'avait pas l'intention de me faire du tort ? Pour quelle autre raison aurait-elle eu besoin d'un cheveu m'appartenant ?

Ou alors, Bree me souhaitait-elle du malheur ? me suis-je demandé, malheureuse.

— Il nous faut plus de participants, a ensuite déclaré Raven en rompant le silence.

— Ouais, Eh bien, Robbie sera là. Et peut-être Matt aussi.

Raven s'est mise à rire.

— Ouais, Matt. Oh, bon Dieu ! j'ai hâte de voir la réaction de Thalia quand Robbie va se pointer. Je parierais qu'elle va lui sauter dessus.

J'ai froncé les sourcils. Qui pouvait être Thalia ?

— Es-tu sérieuse ?

— Elle vient de rompre avec son copain et elle va à la pêche, a expliqué Raven. Et Robbie est vraiment craquant maintenant. Moi-même, je ne détesterais pas sortir avec lui.

— Oh, Jésus ! Raven, a fait Bree.

— Je blaguais, a dit Raven en éclatant de rire.

Puis j'ai entendu le clic d'un sac qu'on refermait.

— Peut-être…

Silence. Je retenais mon souffle.

— Quoi ? a demandé Raven en ouvrant la porte.

— Thalia n'est pas son genre, prétendait Bree, tandis que les bruits de l'extérieur emplissaient la pièce.

— Si elle le veut, elle sera son genre.

La porte s'est refermée, et j'ai laissé exploser l'air comprimé dans mes poumons. Je me suis relevée, tremblante. Ainsi, Sky manipulait Bree. Tout compte fait, elles cherchaient vraiment à convaincre Robbie et Matt de quitter notre cercle pour se joindre au leur. Et Sky avait son propre appartement, où ils tenaient leurs réunions. Vivait-elle avec Hunter ? C'était donc lui que Raven trouvait génial ? Peut-être. Mais Raven disait la même chose de la majorité des mâles qu'elle rencontrait. De plus, elle connaissait une certaine Thalia, qui sauterait sur Robbie à coup sûr. Pour une raison ou une autre, Bree n'avait pas semblé aussi excitée qu'elle à l'idée d'apporter un de mes cheveux à Sky. Mais son ton hésitant était une piètre consolation.

Je haïssais tout ce que je venais d'entendre. Mais désormais, plus que tout, j'avais la peur au ventre.

10

La vision magyque

Les choses commencent à chauffer, et pas seulement à cause du traqueur. Nous avons eu de nombreux visiteurs, dont plusieurs que je n'avais jamais vus jusque-là et d'autres dont je me souviens, de partout dans le monde : Manhattan, Nouvelle-Orléans, Californie, Angleterre, Autriche. Ils vont et viennent à toute heure, et à tout moment je croise des petits groupes de gens réunis ici et là, front contre front, qui discutent, se disputent, pratiquent la magye. Je ne sais pas bien ce qui se passe, mais il est clair que notre découverte ici a provoqué du remue-ménage. Et les cercles ! Nous avons des rituels presque tous les jours *maintenant. Ils sont puissants et exaltants, mais le lendemain, je suis très fatigué.*

— Sgàth

Après l'école, je voulais parler à Cal de la conversation que j'avais surprise, mais il était déjà parti. Il avait laissé un mot dans mon casier pour me dire qu'il devait rentrer pour rencontrer un ami de sa mère. J'étais donc seule avec mes questions concernant Bree, Raven et leur cercle. Même Mary K. ne rentrait pas avec moi. Je montais dans ma voiture lorsqu'elle était venue me dire qu'elle allait faire un tour chez Jaycee.

Je lui ai fait un salut de la main, mais je n'arrivais pas à sourire. Je n'avais pas envie d'être seule. Trop de choses me bouleversaient.

Heureusement, Robbie s'est pointé à son tour.

– Qu'est-ce qui se passe ? a-t-il demandé.

J'ai mis une main devant mes yeux pour me protéger du soleil radieux de novembre. J'ai pensé lui dire ce qui me tracassait, mais j'ai décidé de m'abstenir. C'était trop compliqué. J'ai simplement dit :

— J'ai envie d'aller au parc de Butler's Ferry pour y ramasser des cocottes de pin pour l'Action de grâces.

— Ça me tente, a dit Robbie après une seconde de réflexion. Tu veux de la compagnie ?

— Absolument, ai-je répondu en déverrouillant la portière côté passager.

— Dis, attendez-vous de la visite pour l'Action de grâces ?

J'ai fait signe que oui en démarrant.

— Les parents de ma mère, le frère de mon père et sa famille. Et puis tous ceux qui sont de Widow's Vale. Nous les recevrons tous chez nous, cette année.

— Ouais. Nous, nous irons chez ma tante et mon oncle, a dit Robbie sans enthousiasme. Ils vont s'égosiller en regardant le match de foot à la télé ; il va y avoir de la bouffe en quantité industrielle, et pour finir, mon père et oncle Stan vont se chamailler et se taper dessus.

— Bien, ils font ça à chaque année, ai-je conclu, en essayant d'injecter un peu d'humour dans une situation qui en était à peu près dépourvue.

Chaque fois que j'entendais Robbie parler de sa famille, cela me rendait triste.

— Alors, c'est presque comme une tradition…

Robbie a ri. Nous avons tourné sur Miltown Pike.

— Je suppose que tu as raison. Les traditions sont une bonne chose. C'est un truc que la Wicca m'a appris.

Nous étions déjà arrivés dans le stationnement du parc de Butler's Ferry. J'ai pris un panier dans la valise. Malgré le froid, le soleil faisait de beaux efforts pour briller ; il chatoyait sur les feuilles qui crissaient sous nos pas. Les arbres étaient nus et sculpturaux, le ciel d'un beau bleu pâle délavé. La paix des lieux commençait à m'envahir, à me calmer. J'étais heureuse d'être là avec Robbie, que je connaissais depuis si longtemps.

— Dis-moi, y a-t-il des herbes ou autre chose à cueillir en ce temps de l'année? a-t-il demandé.

— Pas beaucoup. J'ai vérifié dans mon guide de botanique et on pourrait tomber sur quelques trucs, mais je ne compte pas là-dessus. Il va falloir attendre jusqu'au printemps. À ce moment-là, je pourrai cueillir des plantes sauvages et commencer mon propre jardin.

— C'est bizarre que tu sois aussi puissante dans la Wicca, non? a dit Robbie sans crier gare.

Mais la question n'était ni méchante, ni inquisitrice.

J'en ai eu le souffle coupé et j'ai pensé lui raconter tout ce que j'avais appris sur moi au cours du dernier mois. Il ne savait même pas que j'avais été adoptée. Mais je ne pouvais pas le lui dire. Il était mon ami depuis si longtemps; il m'avait écouté me plaindre de ma famille... il m'avait toujours vue comme l'une d'eux, comme une Rowlands. Je ne me sentais pas la force d'encaisser les contrecoups émotionnels que je subirais forcément en racontant cette histoire. Je savais que je lui dirais tout, un de ces jours. Nous étions trop proches pour que je lui cache longtemps cet énorme secret. Mais pas aujourd'hui.

— Oui, je suppose, ai-je fini par dire d'un ton désinvolte. En effet, c'est extraordinaire. Qui l'eut cru ?

Nous avons échangé un sourire, et j'ai ramassé une jolie branche de pin à laquelle pendaient trois cocottes impeccables. Je me suis également arrêtée pour cueillir quelques tiges de chêne garnies de feuilles séchées. J'adore la forme des feuilles de chêne.

— Ç'a vraiment tout changé, a murmuré Robbie, en se penchant pour ramasser une branche semblable, qu'il m'a tendue et que j'ai mise avec les autres dans mon panier. Je parle de la magye. Ç'a complètement changé ta vie. Et tu as changé ma vie du tout au tout, a-t-il ajouté en me montrant son visage, sa peau.

J'ai eu un bref accès de culpabilité. J'avais seulement tenté un petit envoûtement de guérison pour le débarrasser de l'acné qui laissait des marques sur son visage depuis la fin du primaire. Mais le charme avait continué d'opérer et d'améliorer sa situation. Il n'avait même plus besoin de lunettes. À tout bout de champ, toute cette histoire revenait me frapper.

– Je crois que oui, ai-je admis calmement.

Puis je me suis penchée pour étudier une minuscule vigne grimpante où pendaient encore quelques feuilles desséchées d'un beau rouge vif.

– N'y touche pas, a dit Robbie. C'est du sumac vénéneux.

J'ai ri, étonnée de cette mise en garde.

– Décidément, je ferai une sorcière redoutable, ai-je fait en lui rendant son sourire. Je suis contente qu'il n'y ait personne d'autre que toi ici. Je sais que tu ne penseras pas que je suis une parfaite idiote.

Robbie a hoché la tête, mais son sourire s'est estompé et il s'est mordu la lèvre.

– Qu'est-ce qui ne va pas ?

– Est-ce que Bree te manque ?

Je l'ai regardé, incapable de répondre. Pourtant, je savais ce qu'il ressentait : nous

nous amusions, comme nous l'avions fait si souvent dans le passé, sauf que Bree n'était pas là pour partager ce bon moment avec nous.

— Je suis amoureux d'elle, tu sais, a dit Robbie à brûle-pourpoint .

J'étais bouche bée. Oh là là ! J'avais quelques soupçons quant aux sentiments qu'il lui portait, mais je n'avais pas imaginé que c'était sérieux à ce point. Pas plus que je ne m'étais attendue à ce qu'il m'en parle ouvertement.

— Euh, j'avais cru deviner que tu l'aimais bien, ai-je admis un peu maladroitement.

— Non, c'est plus que ça, a dit Robbie en regardant au loin et en lançant une cocotte dans les buissons. Je l'aime, je suis fou d'elle. Je l'ai toujours été, depuis des années.

Il a souri et secoué la tête. Je lui ai jeté un coup d'œil fugace, et tous les regrets que j'avais pu éprouver de l'avoir guéri de son acné se sont volatilisés. J'avais bien fait. Il était beau, sûr de lui ; il avait la mâchoire lisse et carrée. On aurait dit un mannequin.

— Des années… Je l'ignorais.

— Je ne voulais pas que ça se sache. Je ne voulais en parler à personne, surtout pas à Bree. Elle a toujours été attirée par les types très beaux et stupides. J'ai observé son comportement avec les garçons et je savais que je n'avais aucune chance, a-t-il dit, et j'ai vu faiblir son sourire. Tu sais qu'elle m'a raconté le jour où elle a perdu sa virginité ?

Il s'est tourné vers moi, et j'ai vu l'éclat de ses yeux gris-bleu dans le soleil couchant. J'ai aussi vu, sur son visage, le souvenir de sa peine, quand il a poursuivi :

— Elle était toute heureuse et excitée. La meilleure chose depuis l'invention du café latté, m'a-t-elle répété. Et c'était avec ce minable, Akers Rowley.

— Je sais, Akers est un parfait idiot. Je suis désolée, Robbie.

— De toute façon, a-t-il repris en retrouvant le sourire, m'as-tu regardé dernièrement ?

— Tu es magnifique, ai-je répliqué spontanément. Tu es l'un des plus beaux garçons du collège.

Robbie riait, retrouvant, l'espace d'un instant, sa timidité et sa maladresse d'autrefois.

— Merci. Mais, hum, crois-tu que j'ai une petite chance à présent ?

Je me suis mordu la lèvre. La question était de taille. C'est-à-dire que sans parler du fait que Bree risquait de se laisser entraîner dans la magye noire, ça me faisait bizarre de les imaginer ensemble, Robbie et elle. Ils avaient été copains pendant si longtemps.

— Je ne sais pas. J'ignore ce que Bree pense de toi. Oui, tu parais bien, mais il se peut qu'elle te voie davantage comme un frère. Tu la connais trop bien pour la séduire. Ou vice versa, ai-je conclu en souriant.

La tête basse, Robbie donnait des coups de botte dans les monceaux de feuilles.

Nous nous sommes enfoncés dans le bois. Il restait une vingtaine de minutes à peine avant qu'il ne fasse nuit noire et bientôt, il nous faudrait faire demi-tour.

Je l'ai pris par le bras et j'ai continué sur ma lancée, car je sentais qu'il fallait que je le mette en garde :

— Il y a autre chose.... Aujourd'hui, j'ai entendu Bree et Raven parler de leur nouveau cercle.

Je lui ai relaté l'essentiel de la conversation que j'avais surprise dans les toilettes, en omettant la partie concernant mon cheveu. C'était une chose dont je devais m'occuper moi-même, avec l'aide de Cal. D'autant que je ne savais pas trop bien ce que ce cheveu voulait dire. Je voulais éviter que Robbie se sente déchiré entre moi et Bree. Il l'était déjà bien assez. Mais en même temps, je ne voulais pas qu'elle le manipule.

— Ouais, je sais qu'elles veulent recruter de nouveaux membres, a-t-il reconnu. Ne t'inquiète pas, je ne suis pas intéressé à me joindre à leur cercle. Mais je vais y aller pour voir ce qui s'y passe.

Ici, dans le bois avec Robbie, mes pensées au sujet de Bree, de Raven et de leur cercle me paraissaient un peu paranoïaques. Qu'est-ce que ça pouvait faire qu'elles veuillent créer leur propre assemblée de sorcières ? Ce n'était pas nécessairement mauvais. C'était seulement différent, un autre rayon à la roue wiccane. Et le cheveu… eh bien, qui sait ce que ça voulait dire ? Sky leur avait affirmé que personne n'en souffrirait, et elles semblaient lui faire confiance. Mais surtout, je n'arrivais tout simplement pas à voir Bree comme quelqu'un de méchant. Elle avait été ma meilleure amie pendant trop longtemps. Je le saurais s'il y avait quelque chose de vraiment pervers chez elle, non ?

J'ai secoué la tête ; c'était trop difficile de réfléchir à tout ça. Puis je me suis souvenue d'un autre détail que j'avais entendu et j'ai demandé à Robbie :

— Connais-tu une certaine Thalia ? Elle fait partie du cercle de Bree et Raven.

Il a réfléchi, puis a fait signe que non.

— Peut-être une amie de Raven ?

— Eh bien, mes informateurs me disent qu'elle pourrait tenter de te séduire, ai-je dit.

J'avais voulu tourner cela en blague, mais pour une raison ou une autre, les mots qui me sont sortis de la bouche m'ont paru menaçants.

Robbie s'en est amusé.

— Excellent.

J'ai ri et je lui ai donné un petit coup de poing sur le bras pendant que nous revenions sur nos pas.

— Fais quand même attention, d'accord ? ai-je ajouté au bout d'un moment. Je veux dire… avec Bree. Elle a aussi tendance à aimer les garçons qu'elle peut contrôler, tu sais ? Ceux qu'elle peut intimider, qui sont prêts à faire le moindre de ses caprices. Ceux-là ne durent pas bien longtemps.

Robbie se taisait. Je n'avais pas besoin de lui dire tout cela : il le savait déjà. Alors, j'ai poursuivi :

— Si elle pouvait s'intéresser à toi comme tu le mérites, ce serait super. Mais je ne veux pas que tu souffres.

— Je sais.

— Bonne chance, lui ai-je chuchoté à l'oreille, en lui serrant le bras un peu plus fort, et il m'a remerciée en souriant.

Pendant une minute, je me suis demandé comment fonctionnaient les filtres d'amour, les envoûtements et les potions. Mais comme s'il pouvait lire dans mes pensées, Robbie m'a sortie de ma rêverie.

— Ne te mêle surtout pas de cela en concoctant quelque potion magique.

— Bien sûr que non ! ai-je répliqué, en prenant un air outré. Je m'en suis déjà bien assez mêlée…

Robbie a éclaté de rire.

Puis soudain, je me suis arrêtée net et je l'ai tiré par la manche. Il m'a regardée d'un air interrogateur. J'ai mis un doigt sur mes lèvres, tout en scrutant le bois autour de nous. Je ne voyais rien, mais mes sens décelaient… une présence. Ils étaient deux ; je les sentais. Mais où étaient-ils ?

Quelques instants après, j'ai entendu des voix en sourdine.

Sans réfléchir, nous nous sommes accroupis au bord du sentier, derrière un gros rocher.

— Tu te trompes, je ne veux pas, disait quelqu'un.

Écarquillant les yeux, j'ai croisé le regard de Robbie. C'était la voix de Matt.

– Ne sois pas si bête, Matt. Bien sûr que tu veux. J'ai vu comment tu me regardais.

Bien sûr. C'était Raven, et elle essayait de séduire Matt. C'était dans l'ordre des choses. Je me rappelais comment elle avait prononcé son nom dans la salle de bain. Je l'avais entendue ricaner.

Sans parler, nous avons jeté un œil en même temps par-dessus le rocher. À six mètres de nous environ, Matt et Raven se tenaient debout, l'un en face de l'autre. Le soleil descendait rapidement à présent, et l'air était plus frais. Raven s'est approchée de lui, un sourire charmeur aux lèvres. Il a froncé les sourcils et a fait un pas en arrière, mais il a heurté un arbre. Elle s'est avancée et s'est pressée contre son corps, de la poitrine jusqu'aux genoux.

– Arrête, a-t-il dit faiblement.

Raven l'a pris par le cou en se haussant sur la pointe des pieds pour l'embrasser.

— Arrête, a-t-il répété, mais sa protestation avait à peu près la force des miaulements de Dagda.

Il a résisté pendant un gros cinq secondes, puis il l'a enlacée, tête penchée, et il l'a serrée très fort. À côté de moi, Robbie avait la tête dans les mains. Je les ai observés encore un moment, mais quand Matt a ouvert le manteau de Raven après avoir déboutonné le sien, je n'en pouvais plus. Comme Robbie, je me suis laissée choir, le dos appuyé au rocher. J'ai grincé des dents en entendant un gémissement de plaisir. C'était trop embarrassant.

Robbie s'est penché vers moi et m'a dit à l'oreille :

— Crois-tu qu'ils vont le faire ?

J'ai fait la grimace.

— Je ne sais pas, mais on se les gèle ici.

Robbie a émis un *brrr* sourd, et j'ai commencé à glousser. Pendant de longues secondes, nous sommes restés là, étouffés de rire, la tête enfoncée dans la manche de nos manteaux. À la fin, Robbie a sorti la tête sur le côté pour jeter un œil.

— Je ne vois pas grand-chose, s'est-il plaint avec un gros soupir. Il fait trop noir au milieu des arbres.

Je ne voulais pas regarder, même si je savais que j'aurais pu tout voir clairement. Ma vision nocturne s'était améliorée de façon spectaculaire : je pouvais maintenant voir facilement dans le noir, comme si chaque objet était légèrement éclairé de l'intérieur. J'avais même déniché une référence à ce pouvoir dans un livre de sorcellerie : cela s'appelait la vision magyque.

— Je ne crois pas qu'ils le font, a chuchoté Robbie. Ça ressemble davantage à du tripotage en règle. Ils sont toujours debout.

— Loués soient le Dieu et la Déesse, ai-je marmonné.

Puis, j'ai entendu Matt qui disait :

— Il faut qu'on arrête. Jenna…

— Oublie Jenna, a murmuré Raven d'une voix suave. Je te veux. Tu me veux. Tu as envie d'être avec moi, dans notre cercle.

— Non, je…

— Matt, je t'en prie. Arrête de résister. Laisse-toi aller et prends-moi. As-tu envie de moi ?

Il a émis une étrange lamentation. C'était mon tour de me cacher le visage dans les mains. En fait, j'aurais souhaité pouvoir arrêter Matt. Bien sûr, je me disais aussi qu'il se comportait en parfait idiot.

— Tu as envie de moi, disait Raven pour l'amadouer. Et je peux te donner ce que tu veux. Ce que Jenna ne peut pas faire pour toi. Nous pourrions être ensemble et faire de la magye, de la grande magye, dans mon cercle. Tu ne veux plus faire partie du cercle de Cal. Il veut tout régenter.

Je me suis raidie, sourcils froncés. Bon sang, que savait-elle de Cal ?

— Dans notre cercle, tu pourras faire tout ce qui te chante. Personne ne va t'en empêcher. Et tu pourras être avec moi. Allons…

La voix de Raven n'avait jamais été aussi sirupeuse et suppliante. Un frisson qui n'avait rien à voir avec l'air glacial s'est frayé un chemin le long de ma colonne vertébrale.

— Je ne peux pas, a répondu Matt, d'une voix torturée.

Nous entendions le piétinement de leurs bottes sur les feuilles. Par chance, ils s'éloignaient.

— J'ai les fesses gelées, a chuchoté Robbie. Allons-nous-en d'ici.

J'ai fait oui de la tête et je me suis levée. Aussi silencieusement et rapidement que possible, nous sommes vite retournés vers Das Boot. Sans dire un mot, j'ai rangé mon panier de décorations dans la valise, et nous sommes montés dans la voiture.

— C'était bizarre, a fini par dire Robbie, en se soufflant dans les mains.

— Maintenant, nous savons pourquoi il se comporte étrangement, ai-je dit en mettant le contact.

Puis, en souriant, j'ai ajouté :

— Raven s'offre à lui sans la moindre pudeur.

Robbie ne souriait pas. Ce n'était pas drôle. Pas le moins du monde. Des gens risquaient de souffrir. Sans plus attendre, nous avons repris la route.

— Est-ce que nous pourrions faire quelque chose ? ai-je demandé à Robbie. J'ai de la peine pour Jenna. J'ai même de la peine pour Matt. Il est seulement... perdu.

— D'après toi, Raven est en train de l'envoûter ?

— Je ne sais pas, ai-je répondu en secouant la tête. Tu sais, elle n'est pas sorcière de sang. Ce serait différent si elle pratiquait la Wicca depuis des années et qu'elle était plus près de ses pouvoirs naturels. Mais je ne vois rien de tel. À moins que Sky ne lui ait fait un truc pour lui permettre d'ensorceler Matt...

— Je suppose que c'est suffisant pour utiliser le sortilège du sexe, a répliqué Robbie sèchement.

J'ai repensé aux sentiments que Cal m'inspirait, aux rares fois où nous avions été proches, seuls au monde ; comment je m'étais laissée emporter et comment tout le reste avait semblé ne plus exister.

— Ouais, ai-je murmuré. Alors, que faisons-nous ?

Robbie réfléchissait.

— Je ne sais pas. Je ne nous vois pas en train de confronter l'un ou l'autre à ce sujet. Dans un sens, ce n'est pas de nos affaires.

Et si tu en parlais à Cal ? Après tout, c'est son cercle qu'ils essaient de diviser. Raconte-lui la conversation que tu as surprise à l'école.

J'ai soupiré, puis j'ai fait signe que oui.

— Bonne idée. Merci, Robbie, de m'avoir avoué tes sentiments pour Bree. Je suis contente que tu me fasses confiance. Je n'en parlerai à personne. Mais… sois prudent, OK ?

— Je le serai, a promis Robbie en hochant la tête.

11

Le Conseil

Veille de Samhain, 1995

Mes cousins organisent une fête costumée pour Samhain, après qu'on aura fait le service. Je serai déguisé en Dagda, en Seigneur des cieux et grande majesté du Tuatha De Danaan. J'apporterai ma flûte de pan pour jouer de la musique, ma baguette pour faire de la magye et un livre pour la connaissance. Ce sera amusant. J'ai aidé Linden et Alwyn à se costumer, et nous avons beaucoup ri.

J'ai vu ma cousine Athar embrasser Dave MacGregor derrière un arbre, dans le jardin. Je l'ai taquinée et elle m'a jeté un sort pour me bâillonner et je ne peux même plus commérer. Cela fait deux jours que je cherche un antidote à ce sortilège.

L'année prochaine, j'aurai mon initiation ; je serai enfin reçu sorcière. J'aurai fini d'attendre. Cela fait suffisamment longtemps que j'étudie. J'ai l'impression que je n'ai fait qu'étudier depuis mon arrivée ici. Tante Shelagh n'est pas si mal, mais oncle Beck est un vrai esclavagiste. Et c'est encore plus difficile, parce que Linden et Alwyn sont toujours pendus à mes basques, courant derrière moi, posant des questions auxquelles j'ai du mal à répondre. J'ai la tête qui tourne et tourne, comme une roue.

Mais ce qui me préoccupe le plus, tout le temps, c'est maman et papa. Où sont-ils, et pourquoi nous ont-ils abandonnés? J'ai perdu tant de choses : ma famille, ma confiance. La colère ne meurt jamais. Dans un an, j'apprendrai la vérité. Une autre raison pour avoir hâte à mon initiation.

— Giomanach

— J'ai essayé de te téléphoner hier soir, ai-je dit à Cal en pressant mon visage dans l'encolure de son manteau.

Le vent froid soufflait et faisait tourbillonner mes cheveux. J'avais le frisson, tandis que sa main me caressait le dos.

La cloche du matin allait bientôt sonner, mais je n'avais pas envie de partager Cal avec les autres tout de suite. Je ne voulais pas voir Matt et Jenna non plus. J'avais les nerfs à vif, à la fois à cause des événements bizarres d'hier et des rêves affreux que j'avais faits la nuit dernière. Des rêves remplis de gros nuages, telle une nuée d'insectes noirs qui me pourchassaient, me faisaient suffoquer. Je m'étais réveillée en sueurs et tremblante, et je n'avais pu me rendormir avant l'aube. Puis, à peine une heure plus tard, Mary K. m'avait réveillée.

— Je sais, a dit Cal en me donnant un baiser sur la tempe. J'ai eu ton message. Mais je suis rentré trop tard pour te rappeler. Est-ce que c'était important ? J'ai pensé que si tu avais vraiment besoin de moi, tu enverrais un message de sorcière.

Je l'ai serré très fort contre moi.

— C'était seulement… un tas d'incidents bizarres dont j'aurais voulu te parler.

— Par exemple ?

J'ai eu un moment d'hésitation. Nous étions appuyés contre sa voiture, de l'autre côté de la rue, en face du collège, et cela me donnait une impression d'intimité, même si ça ne l'était pas tout à fait. J'ai regardé autour de moi pour vérifier que nous étions seuls.

— Eh bien, j'ai surpris une discussion entre Raven et Bree dans la salle de bain. Elles veulent convaincre Matt et Robbie de se joindre à leur cercle. Je crois qu'elles veulent nous diviser. Sky est leur chef. Ils se réunissent chez elle. Ensuite, Bree a dit un truc à propos d'un de mes cheveux qu'elle voulait donner à Sky. J'ai trouvé ça... effrayant. Je voudrais bien savoir ce que Sky veut faire avec un de mes cheveux?

— Je l'ignore, a dit Cal en plissant les yeux, mais j'ai l'intention de le découvrir. Ne t'en fais pas, a-t-il poursuivi après avoir pris une grande respiration. Personne ne pourra exercer son influence sur toi, Morgan. Pas tant que je serai là.

C'était fou comme ses paroles pouvaient me réconforter. C'était comme s'il avait enlevé un poids de sur mes épaules.

— Il y a autre chose. Plus tard, je suis allée au parc avec Robbie, et nous avons surpris Raven et Matt en train de se tripoter.

— Oh, a fait Cal en haussant les sourcils.

— Ouais. C'était un pur hasard. Nous ramassions des cocottes de pin quand nous avons vu Raven tenter d'embobiner Matt. Elle voulait le convaincre de rompre avec Jenna et de se joindre à leur cercle.

— Merde, a dit Cal l'air songeur. Donc, tu avais raison, Matt ménage la chèvre et le chou, et nous savons pourquoi à présent.

— Ouais !

Cal semblait réfléchir.

— Et Sky est bel et bien le chef de leur cercle ? Tout se tient, puisque tu l'as vue avec Bree et Raven.

J'ai hoché la tête. Mais je ne pouvais m'empêcher de songer… si Sky était leur chef, que faisait-elle chez Cal le soir où j'avais découvert le Livre des ombres de Maeve Riordan ? Comment pouvait-elle prendre part au cercle de Selene ? Était-elle un genre d'espionne wiccane ? Selene savait-elle que Sky possédait son propre cercle ? D'ailleurs, était-ce vraiment important ? J'avais le tournis. Il y avait tant de choses que je ne comprenais pas, tant de détails à éclaircir.

Au son de la cloche, nous avons poussé une plainte tous les deux. Les études n'étaient pas ma priorité aujourd'hui.

Nous avons traversé la pelouse brunie jusqu'à l'école en nous tenant enlacés.

— Je vais y réfléchir, a dit Cal. De toute évidence, il faut que je parle à Sky. Mais il faut aussi que je décide si je dois parler à Raven, ou à Matt, ou aux deux.

J'étais soulagée que Cal soit au courant, mais je me sentais un peu comme une colporteuse de ragots. Je pouvais parler à Matt moi-même, mais j'étais convaincue que Cal s'occuperait du plus urgent, de Sky, entre autres. Tout en grimpant les marches, je lui ai serré la main en guise d'au revoir. Oui, il fallait que je parle à Matt. C'était mon ami, et il faisait encore partie de notre cercle. Je lui devais cela.

— Matt, as-tu une minute ? l'ai-je appelé dans un couloir.

C'était après le lunch, les cours allaient débuter d'une minute à l'autre. Le manque de sommeil commençait à se faire sentir ; je me traînais carrément les pieds. J'aurais donné tout ce que j'avais, rien que pour aller m'écraser quelque part et faire la sieste. Mais c'était la première chance que j'avais de parler à Matt et il n'était pas question que je la laisse passer.

– Comment ça va, Morgan ? a demandé Matt en se plantant devant moi, les mains dans les poches, le visage fermé et lointain.

J'ai pris une grande respiration et je suis allée droit au but :

– Je t'ai vu hier avec Raven. Dans le parc.

Matt a fait de grands yeux et m'a regardée fixement.

– Euh…, de quoi parles-tu ?

– Allons, ai-je dit sans m'impatienter.

Puis je l'ai entraîné plus près du mur, de manière à pouvoir parler sans être entendue par les élèves qui déambulaient dans le passage. J'ai baissé la voix et poursuivi :

– Je te dis que je t'ai vu hier, avec Raven, dans le parc. Je sais qu'elle essaie de t'attirer pour que tu te joignes à son cercle. Je sais que tu fais l'imbécile avec elle.

— Je ne fais pas l'imbécile avec elle ! a objecté Matt.

Je me suis contentée de hausser les sourcils sans rien dire, et il a baissé les yeux.

— En fait, nous ne sommes pas allés aussi loin que tu le prétends, a-t-il fini par admettre. Bon sang, je ne sais pas quoi faire.

— Romps avec Jenna, si tu veux sortir avec Raven.

— Mais je ne veux pas sortir avec Raven. Je ne veux pas faire partie de son cercle. Sauf que je l'ai toujours trouvée attirante…, tu comprends ?

Il a secoué la tête comme pour s'éclaircir les idées et a ajouté :

— Je me demande bien pourquoi je te dis ça.

Des élèves de troisième sont passées près de nous. Bien qu'elles soient plus jeunes d'à peine deux ans, j'avais l'impression qu'elles étaient à des années-lumière de moi. Elles appartenaient au monde de l'école, des devoirs et des garçons. C'était le monde de Mary K. Pas le mien.

— Pourquoi te demande-t-elle de te joindre à leur cercle ?

— Je suppose qu'il leur faut davantage de membres, a répondu Matt, l'air malheureux. Au début, ils ont eu beaucoup de monde, mais plusieurs ont laissé tomber tour à tour ou ont été expulsés. Ils ont été nombreux à ne pas prendre la chose au sérieux.

— Mais pourquoi *toi* ? ai-je insisté.

— Je ne crois pas que c'est pour moi, a-t-il avoué en reniflant. Je veux dire : je ne suis personne, seulement un corps chaud.

— Tu fais aussi partie de notre cercle, ai-je marmonné.

J'étais tiraillée entre mon envie de le consoler et celle de lui tordre le cou.

— Alors, qu'est-ce que tu comptes faire ? ai-je demandé en croisant les bras et en essayant de ne pas avoir l'air de le juger.

— Je ne sais pas.

J'ai lâché un soupir.

— Tu devrais peut-être en parler avec Cal. Peut-être pourrait-il t'aider à clarifier tes pensées.

Matt n'avait pas l'air convaincu.

— Peut-être, a-t-il fait, dubitatif. Je vais y réfléchir. Vas-tu le dire à Jenna ? a-t-il poursuivi en croisant mon regard.

— Non. Mais elle n'est pas stupide. Elle sait qu'il se passe quelque chose.

Il a ri, d'un air distant.

— Ouais, Ça fait quatre ans que nous sortons ensemble. Nous nous connaissons tellement. Mais nous n'avons même pas 18 ans.

Sur ces mots, il a tourné les talons et s'est dirigé vers sa salle de cours, sans se retourner.

Je l'ai regardé s'éloigner en pensant à ce qu'il venait de dire. Qu'avait-il voulu dire au juste ? Qu'il s'était engagé trop tôt envers Jenna et qu'il désirait connaître d'autres filles ? Pendant que je réfléchissais à cela, un petit poème m'est venu à l'esprit et je l'ai répété tout bas.

Aide-le à trouver son chemin ;
Aide-le à reconnaître la vérité pour prouver
Qu'il n'est pas le chasseur ici,
Pas plus qu'il n'est le cerf.

J'ai secoué la tête. Je me demandais ce que ça signifiait ? Va savoir. Ces trucs n'arrivaient pas avec commentaires et manuel d'instructions.

Cet après-midi-là, lorsque nous sommes rentrées, Mary K. et moi, il y avait une voiture grise garée devant la maison. Je n'ai rien pensé sur le coup ; les gens se garent devant chez nous tous les jours. Sans doute un des clients de ma mère. Je me suis donc contentée de suivre ma sœur dans l'allée.

— Morgan !

Je me suis retournée en entendant la voix qui m'appelait. C'était Hunter Niall ; il sortait de la voiture en question.

— C'est qui ce beau gars ? a demandé Mary K. en soulevant un sourcil.

— Rentre à la maison. Je m'en occupe.

Mon cœur battait la chamade.

— Oh ! oh ! a fait ma sœur avec un sourire en coin. J'ai très hâte de savoir ce qu'il en est.

Elle a grimpé les marches, secoué ses Doc Martens pour en faire tomber la glace, puis elle est entrée.

– Allô, Morgan, a dit Hunter en s'approchant.

Comment s'y prenait-il pour qu'un simple salut me fasse l'effet d'une menace ? Je me le demandais. J'ai eu l'impression que son rhume avait empiré. Il avait le nez rouge, et sa voix était très nasillarde.

– Qu'est-ce que tu veux ? lui ai-je demandé en déglutissant.

Je me rappelais mon cauchemar d'hier, cette horrible impression qu'on tentait de m'étouffer, le nuage noir qui m'avait poursuivie.

– Je veux te parler, a-t-il répondu en toussant.

– À quel sujet ?

J'ai lancé mon sac à dos sur le porche sans perdre Hunter des yeux. Je regardais ses mains, sa bouche, ses yeux, tout ce dont il aurait pu se servir pour faire de la magye. Mon pouls s'accélérait ; j'avais la gorge serrée. Je souhaitais que Cal surgisse de nulle part. J'ai pensé lui envoyer un message télépathique, un message de sorcière, puis je me suis dit qu'il me suffirait de tourner les talons et de rentrer chez moi.

Je pouvais m'en sortir seule. Je n'étais pas obligée de parler à Hunter.

Mais pour une raison ou une autre, je restais plantée là, le regardant s'approcher en laissant des traces de pas dans la neige fondante. Il était suffisamment près, maintenant, pour que je remarque que sa peau claire n'avait aucune imperfection et que des taches de rousseur parsemaient l'arête de son nez. Ses yeux étaient verts et froids.

— Parlons de toi, Morgan, a-t-il commencé, en repoussant son chapeau de cuir plus haut sur son front, laissant ainsi entrevoir des mèches de cheveux blonds. Tu ne sais pas ce que tu fais avec Cal.

Son ton était ferme et désinvolte à la fois, comme s'il m'annonçait simplement que c'était l'heure du thé.

J'ai senti la colère me monter à la gorge.

— Tu ne sais même pas…

— Ce n'est pas ta faute, m'a-t-il interrompue. Tout cela est nouveau pour toi.

Dans mon ventre, la colère se changeait en rage. De quel droit se permettait-il d'être aussi condescendant envers moi ?

Mais Hunter soutenait mon regard.

— On ne peut pas s'attendre à ce que tu saches tout de Cal et de sa mère ; qui ils sont... Personne ne te fait de reproches.

— Personne ne me fait de reproches ? À quel sujet ? De quoi parles-tu ? Je ne te connais même pas. De quel droit viens-tu me parler des gens que je connais, des gens que j'aime ?

Il a haussé les épaules. Ses manières étaient aussi froides que l'air autour de nous.

— Tu t'embarques dans quelque chose de plus gros et de plus sombre que tout ce que tu pourrais imaginer.

Ma rage tournait à la dérision. Hunter avait trouvé le tour de faire sortir ce qu'il y avait de plus laid en moi.

— Oh, arrête, ai-je répliqué en essayant d'avoir l'air de m'ennuyer à mourir. Arrête, tu me fais peur.

Son visage s'est durci, et il a fait un autre pas vers moi. J'avais la peur au ventre ; une décharge d'adrénaline a couru dans mes veines. Je résistais à l'envie de tourner les talons et de rentrer en courant.

— Cal t'a menti, a lancé Hunter, l'air féroce. Il n'est pas celui que tu crois. Pas plus lui que sa mère. Je suis là pour te mettre en garde. Ne sois pas stupide. Regarde-moi ! a-t-il ajouté en me montrant ses yeux gonflés et son nez rouge. Crois-tu que c'est normal ? Parce que ça ne l'est pas. Ils exercent leur magye sur moi…

— Oh, ne me dis pas ? l'ai-je coupé net. Serais-tu en train de me dire qu'ils complotent dans ton dos ? Je t'en prie !

Qui était ce type ? Pensait-il vraiment que j'allais croire que Cal et Selene lui avaient donné le rhume par l'opération de la magye noire ? Ou avais-je simplement affaire à un fou paranoïaque ? Peut-être aurais-je dû compatir, mais j'en étais incapable. Je ne ressentais que de la fureur. J'aurais voulu le repousser de toutes mes forces, le jeter par terre et le rouer de coups. Je n'avais jamais été aussi furieuse, ni contre mes parents, ni contre Bree, ni même contre Bakker. J'ai tourné les talons pour rentrer chez moi.

Hunter m'a suivie et m'a agrippée par le bras en me serrant à me faire mal. Me sentant coincée, furieuse, je lui ai assené un coup de poing sur la main. Un éclair de lumière bleue hachurée est sorti de ma main et l'a frappé de plein fouet. Il a lâché prise, interloqué.

— C'est donc ça, a-t-il persiflé, se frottant la main et hochant la tête d'étonnement. Voilà pourquoi il te veut.

— Tu me fous la paix, ou tu attends que je te blesse pour la peine ?

— Essaies-tu de me montrer que tu es une Woodbane puissante, a-t-il lancé en rigolant.

J'ai eu l'impression que le temps se figeait.

— Comme tu veux. Je connais ton secret. Je sais que tu es une Woodbane.

— Tu ne sais rien du tout, ai-je fini par articuler, les mots sortant de ma bouche dans un nuage de vapeur froide.

— Maeve Riordan, a-t-il dit en haussant les épaules. Belwicket. Tous des Woodbane. Ne fais pas l'ignorante.

— Tu mens, lui ai-je craché au visage, mais je bouillonnais comme un chaudron rempli de liquide en fusion. J'avais l'impression que j'allais vomir.

Le temps d'un éclair, j'ai vu la surprise sur son visage, aussitôt remplacée par la suspicion.

— Tu ne peux pas le cacher, a-t-il dit, sur un ton plus irrité qu'arrogant. Tu ne peux pas faire comme si de rien n'était. Tu es une Woodbane, Cal est un Woodbane, et vous dansez tous les deux avec le feu. Mais cela va cesser. Tu as le choix, et lui aussi. Je suis là pour m'assurer que vous ferez le bon choix.

Remuez-vous, disais-je à mon corps, à mes pieds. *Rentrez. Remuez-vous, bon sang !* Mais j'étais comme statufiée.

— Qui es-tu ? Pourquoi me poursuis-tu ainsi ?

— Je suis Hunter, a-t-il annoncé avec un sourire de loup qui m'a coupé le souffle.

Il paraissait sauvage et dangereux.

— Je suis le plus jeune membre de l'Assemblée internationale des sorcières.

Je reprenais mon souffle en haletant, comme si j'affrontais la mort en personne.

— Et je suis le frère de Cal.

12

L'avenir

Je remercie le Dieu et la Déesse de me l'avoir envoyée. Quelle révélation elle est, sans coup férir. Lorsque je lui ai été affecté, j'étais loin de me douter qu'elle serait tout sauf un exercice du pouvoir. Elle est devenue tellement plus que ça. C'est un oiseau rare : sensible, mais pourvue d'une force farouche. Aller trop vite équivaudrait à la regarder s'envoler comme un oiseau effarouché.

Pour la première fois de ma vie, il y a un défaut dans ma cuirasse, et c'est mon amour.

— Sgàth

J'ai survolé les marches glacées et je me suis jetée sur la porte. Je savais d'instinct que Hunter ne me poursuivrait pas. Notre maison était merveilleusement chaude et accueillante, et j'ai failli m'évanouir de soulagement sur mon lit. J'avais eu la présence d'esprit de verrouiller ma porte, et quand Mary K. est venue frapper, une minute plus tard, j'ai répondu :

— J'arrive dans quelques minutes.

— OK, a-t-elle fait, puis j'ai entendu ses pas dans l'escalier.

J'avais le vertige. La première chose que j'ai faite a été de courir à la salle de bain pour me regarder dans le miroir. C'était moi, la même bonne vieille Morgan, malgré la hantise au creux de mes yeux bruns et mon teint blafard. Hunter avait-il raison? Étais-je une Woodbane?

Je me suis laissée choir sur mon lit et j'ai pris le Livre des ombres de Maeve sous mon matelas, puis j'ai commencé à en tourner les pages. Je l'avais déjà feuilleté, j'avais lu des passages au hasard, mais j'avais pris mon temps, savourant chaque mot, laissant chaque formule s'imprimer en moi, approfondissant mes connaissances et mon unique lien avec la femme qui m'avait donné la vie.

Le plus étrange, cependant, c'est qu'il ne m'a pas fallu longtemps pour trouver ce que je cherchais. C'était dans la partie où Maeve signait encore du nom de Bradhadair. Elle avait écrit sur un ton neutre : « Malgré le sang des Woodbane qui coule dans nos veines, le clan Belwicket a résolu de renoncer aux maléfices. »

Selene savait que Maeve avait été une Woodbane. Soudain, un petit volume posé sur mon bureau a attiré mon attention : c'était le livre sur les Woodbane qu'Alyce, de la boutique Magye pratique, m'avait conseillé de lire. Ainsi... Alyce savait elle aussi ? Hunter savait ? Pourquoi tout le monde était-il au courant, sauf moi ? Cal le savait-il ? Cela ne me paraissait pas possible.

Néanmoins, Hunter était un menteur. Je sentais la fureur m'envahir une fois de plus, semblable à de gros nuages noirs. Hunter avait également dit que Cal était son frère. Je savais que le père de Cal s'était remarié et que Cal avait des demi-frères en Angleterre. Mais Hunter ne pouvait pas être l'un d'eux ; lui et Cal semblaient avoir à peu près le même âge.

Des mensonges. Encore des mensonges.

Mais pourquoi Hunter était-il ici ? Avait-il simplement décidé de venir en Amérique pour jouer avec mon esprit ? Peut-être était-il vraiment le demi-frère de Cal et était-il là pour ramener Cal dans un but précis. Et il s'attaquait à moi dans le but de blesser Cal. Si c'était son intention, il s'en sortait sacrément bien.

Tout cela me donnait un terrible mal de tête. Refermant le livre, j'ai pris Dagda dans mes bras et j'ai écouté son petit ronron ensommeillé, jusqu'à ce que Mary K. me crie que le souper était prêt.

Le repas, une casserole végétarienne improvisée par Mary K., était pour ainsi dire immangeable. De toute façon, je n'avais pas faim. Il fallait que je trouve des réponses à mes questions.

Éludant une question que Mary K. venait de me chuchoter à l'oreille à propos de Hunter, je lui ai dit que je l'aiderais à faire la vaisselle plus tard, puis j'ai demandé à mes parents la permission d'aller chez Cal. Par chance, ils ont dit oui.

Il avait recommencé à neiger quand je suis montée dans ma voiture. Bien sûr, j'étais encore troublée par tout ce que Hunter m'avait dit, mais je faisais de gros efforts pour que cela n'affecte pas ma façon de conduire. Les essuie-glaces de Das Boot poussait la neige et les phares illuminaient des milliers de flocons qui descendaient du ciel en tourbillonant. C'était beau, silencieux et tranquille.

Woodbane.... Je me promettais de lire le livre qu'Alyce m'avait donné en rentrant à la maison, ce soir. Mais il fallait d'abord que je voie Cal.

En arrivant devant la maison de Cal, j'ai aperçu son Explorer et une autre automobile : un petit véhicule vert que je ne connaissais pas. Les larges marches en pierre avaient été pelletées et salées. J'ai sonné.

Qu'allais-je dire si c'était Selene qui m'ouvrait la porte ? La dernière fois que je l'avais vue, j'étais dans sa bibliothèque privée, carrément en train de voler un de ses livres. D'un autre côté, ce livre m'appartenait de droit. Et elle m'avait permis de le garder.

Les secondes s'écoulaient. Je n'entendais aucun bruit à l'intérieur. J'avais froid. Tout en me disant que j'aurais mieux fait de téléphoner d'abord, j'ai sonné une seconde fois, puis, tous mes sens en alerte, j'ai tenté de voir qui était à la maison. Mais cette maison était une forteresse. Pas de réponse. Puis cette idée m'est venue : la maison était envoûtée, délibérément fermée par un tour de magye.

De gros flocons tombaient en dessinant une cape de dentelle sur mes cheveux longs. Bien qu'assaillie par le doute, j'ai sonné de nouveau. Sans doute étaient-ils occupés. Peut-être en réunion. Peut-être étaient-ils en train de présider un cercle, de faire de la magye ou même de recevoir… mais la lourde porte en bois a fini par s'ouvrir.

— Morgan, a dit Cal. Je ne t'ai même pas sentie venir. Tu as l'air frigorifiée. Entre.

Dans le hall, il a passé ses mains sur mes cheveux humides. J'ai reculé en entendant de légers bruits de pas derrière lui, et en levant les yeux, j'ai aperçu Sky Eventide.

Je la regardais, perplexe. Son visage était impassible et je me suis demandé ce que je venais d'interrompre. Cal l'avait-il invitée ici pour lui poser des questions sur son cercle et sur mon cheveu ? Je cherchais chez lui des signes d'irritation ou d'inquiétude, mais il paraissait tout à fait à l'aise.

— J'aurais dû téléphoner. Je ne voulais pas vous interrompre.

Pendant que Sky enfilait sa lourde veste de cuir, je pensais : *dis-moi ce que j'ai interrompu*. Elle était belle, exotique. À côté d'elle, je me sentais aussi excitante qu'une souris grise. J'étais en proie à la jalousie. Cal la trouvait-il attirante ?

— Ça va, a dit Sky en zippant sa veste. Je partais justement.

Puis, plongeant ses yeux noirs dans ceux de Cal, elle a ajouté, faisant comme si je n'étais pas là :

— Rappelle-toi ce que je t'ai dit.

J'ai cru déceler comme une menace dans ses paroles, mais Cal s'est mis à rire.

— Tu t'en fais pour rien. Détends-toi, lui a-t-il conseillé d'un air enjoué, et elle s'est contentée de le regarder en silence.

J'observais. Elle a ouvert la porte et est partie sans même dire bonjour. Il se passait quelque chose d'étrange ici ; il fallait que j'en aie le cœur net.

— Qu'est-ce que tout cela veut dire ? ai-je demandé à brûle-pourpoint.

Cal a secoué la tête sans cesser de sourire.

— Je l'ai croisée par hasard un peu plus tôt et je lui ai dit que je voulais lui parler de son cercle. Elle est donc venue ici, mais elle voulait seulement se faire le messager de Hunter.

Cal m'a aidée à enlever mon manteau, puis l'a déposé sur le dossier d'un fauteuil.

— Hé, j'ai essayé de te téléphoner il y a quelques minutes, mais la ligne était occupée.

Il m'avait pris la main et s'était mis à la frotter pour la réchauffer.

– Je suppose que quelqu'un était au téléphone, ai-je répondu, l'air renfrogné.

Cherchait-il à changer de sujet ?

– Et quel genre de message Sky voulait-elle te transmettre ?

– Elle me mettait en garde, s'est-il contenté de dire.

Me tenant toujours la main, il m'a conduite vers deux portes en bois qui s'ouvraient sur un grand salon. Un feu brûlait dans un immense âtre en pierre, et devant l'âtre, trônait un beau canapé bleu nuit. Cal s'est assis et m'a attirée vers lui.

– Elle te mettait en garde ?

Il a poussé un soupir.

– Pour résumer, Hunter a l'intention de me tendre un piège, et Sky me disait de me tenir sur mes gardes. C'est tout.

J'ai froncé les sourcils en regardant le feu. D'habitude, la chaleur et l'éclat des flammes me rassuraient, mais pas en ce moment.

– Pourquoi Hunter voudrait-il te tendre un piège ?

Cal a eu un moment d'hésitation.

— C'est... hum..., comment dire..., personnel.

— Mais pour quelle raison Sky te mettait-elle en garde ? Elle n'est pas avec lui ?

— Sky ne sait pas ce qu'elle veut, a répondu Cal, qui s'exprimait en paraboles.

Cela faisait un moment qu'il ne s'était pas rasé, et l'ombre de barbe qui lui couvrait le visage lui donnait l'air plus vieux. Plus sexy aussi. Il est resté tranquille un moment, puis il s'est rapproché de moi, si bien que j'ai senti sa chaleur m'envahir, de l'épaule jusqu'à la hanche. Cela m'a rappelé combien c'était bon d'être allongée près de lui, de l'embrasser passionnément, d'avoir ses mains sur moi, de le toucher. Mais je ne pouvais pas me laisser distraire.

— Qui est Hunter ?

Cal a fait un drôle d'air.

— Je ne veux pas parler de lui.

— Bien. Il est venu me voir aujourd'hui.

— Quoi ?

J'ai vu l'étonnement dans ses yeux dorés. J'y ai vu autre chose aussi. De l'inquiétude, peut-être. Pour moi.

— Qu'est-ce que l'Assemblée internationale des sorcières ?

Cal s'est reculé en poussant un soupir de résignation. Puis, s'adossant de nouveau, il a hoché la tête.

— Tu ferais bien de tout me dire…

— Hunter est venu chez moi et a prétendu que j'étais une Woodbane.

Les mots sortaient en flots de ma bouche, comme si un barrage venait de céder.

— Il a dit que tu étais un Woodbane et qu'il était ton frère. Il a ensuite dit que j'étais en danger et qu'il faisait partie de l'Assemblée internationale des sorcières.

— Je n'arrive pas à le croire, a grogné Cal. Je suis désolé. Je vais m'assurer qu'il te laisse tranquille à partir de maintenant.

Il a fait une pause, comme pour rassembler ses pensées.

— De toute façon, l'Assemblée internationale des sorcières n'est rien de plus que ce que le nom veut bien dire. Un rassemblement de sorcières venues des quatre coins du monde. Un genre de corps dirigeant ; quant à savoir ce qu'il dirige, ce n'est pas très clair. Ils sont un peu comme les aînés du village, mais le village se compose de toutes les sorcières du monde entier. Je crois qu'environ 67 pays y sont représentés.

— Qu'est-ce qu'ils font ?

— Autrefois, ils réglaient souvent des disputes concernant le territoire, les guerres de clans, les cas de magye tournée contre les autres. Maintenant, ils essaient surtout d'établir des lignes de conduite concernant l'usage approprié de la magye et de consolider le savoir magyque.

J'ai secoué la tête, sans trop comprendre.

— Et Hunter en fait partie ?

— Il prétend en faire partie, a répondu Cal avec un haussement d'épaules. Je crois qu'il ment, mais qui sait ? Il se peut que l'Assemblée tente de regarnir ses rangs, a-t-il ajouté avec un rire bref. Hunter est plutôt une sorcière de second ordre atteint d'un délire de grandeur.

— Délire est le mot juste, ai-je murmuré, me rappelant comment Hunter avait prétendu que son rhume résultait d'un sort qu'on lui aurait jeté. C'était si franchement ridicule que j'aurais sans doute fait mieux d'oublier tout ce qu'il avait dit ensuite. Mais sans savoir pourquoi, j'en étais incapable.

– Il t'a dit que tu étais une Woodbane ?

– Oui, ai-je répondu un peu raide. Puis je suis rentrée et j'en ai trouvé une mention dans le Livre des ombres de Maeve. Je *suis* une Woodbane. Tout Belwicket l'était. Le savais-tu ?

Cal n'a pas répondu tout de suite. Il semblait vouloir peser ses mots. Il fixait le feu.

– Comment te sens-tu quand tu y penses ? a-t-il fini par demander.

– Mal, ai-je répondu honnêtement. J'aurais été très fière d'être une Rowanwand ou même une descendante de n'importe quel autre clan. Mais être une Woodbane... c'est comme découvrir que mes ancêtres appartiennent à une longue lignée de voyous et de bandits. Pire, vraiment. Bien pire.

Encore une fois, Cal s'est mis à rire et il s'est tourné vers moi.

— Non, mon amour, ce n'est pas aussi affreux que tu le penses.

— Comment peux-tu dire cela ?

— C'est facile, a-t-il repris avec un sourire. De nos jours, ce n'est pas très important. Comme je l'ai dit, les gens ont des préjugés en ce qui a trait aux Woodbane, mais ils ignorent toutes leurs belles qualités, comme la force, la loyauté, la puissance et la quête de la connaissance.

— Tu ne savais pas que j'étais une Woodbane ? ai-je insisté en le regardant droit dans les yeux. Je suis sûre que ta mère le sait.

— Non, je l'ignorais. Je n'ai pas lu le livre de Maeve, et maman ne m'en a jamais parlé. Écoute, ce n'est pas une mauvaise chose de savoir que tu es une Woodbane. C'est bien mieux que de ne pas savoir à quel clan tu appartiens. Mieux que d'être une bâtarde. Tu sais, j'ai toujours pensé que les Woodbane ont été condamnés à tort, dans l'histoire révisionniste.

— Il a dit que tu étais un Woodbane toi aussi… ai-je soufflé en regardant le feu dans l'âtre.

— Nous ne savons pas à quel clan nous appartenons, a répliqué Cal calmement. Maman a fait de nombreuses recherches, et c'est loin d'être clair. Mais dis, si nous étions des Woodbane, est-ce que ça te dérangerait ? M'aimerais-tu quand même ?

— Bien sûr que ça ne changerait rien.

Le feu crépitait dans l'âtre, et j'ai posé ma tête sur l'épaule de Cal. Aussi bouleversée que j'avais pu l'être, je commençais à me sentir un peu mieux. J'ai envoyé valser mes chaussures et j'ai approché mes pieds de la chaleur. C'était délicieux et j'ai poussé un soupir de bien-être. Mais j'avais d'autres questions à poser.

— Pourquoi Hunter a-t-il dit qu'il était ton frère ?

Le regard de Cal s'est assombri.

— Parce que mon père est un grand prêtre très puissant. Hunter voudrait être comme lui. C'est le fils de la femme que mon père a épousée après avoir quitté ma mère. Alors, nous sommes demi-frères.

J'ai ravalé ma salive.

— Oh, ai-je murmuré. Je suis désolée.

— Ouais. Moi aussi. J'aurais préféré ne jamais le rencontrer.

— Comment est-ce arrivé ?

— À l'occasion d'un congrès, il y a deux ans.

— Un congrès de sorcières, ai-je dit en m'esclaffant nerveusement.

— Ouais, a fait Cal en souriant à peine. Quand je l'ai rencontré, Hunter m'a dit que nous étions frères et qu'il y avait seulement six mois de différence entre nous. Ce qui voudrait dire que mon père a fait un enfant à une autre femme pendant que ma mère était enceinte de moi. Je détestais Hunter pour cela. Je refuse toujours de le croire. Alors, peu importe ce qu'il raconte, je dis que son père est quelqu'un d'autre ; ce n'est pas mon père. Je ne peux pas accepter que mon père, aussi stupide qu'il soit, ait pu faire ça.

Cal m'a prise dans ses bras ; la tête posée sur sa poitrine, j'entendais les battements réguliers de son cœur, tout en regardant le feu, à moitié assoupie.

— Est-ce pour cela qu'il se comporte ainsi ?

— Ouais, je crois. D'une certaine manière, il est… je ne sais pas… tordu. Cela doit avoir quelque chose à voir avec son enfance. Je sais que je ne devrais pas le haïr, ce n'est pas sa faute si la vie de mon père est un tel gâchis. Mais il m'a craché au visage que mon père était aussi le sien. Comme s'il prenait plaisir à me faire du mal.

— Je suis désolée, ai-je répété en lui caressant les cheveux.

Il avait un petit sourire contrit, et j'ai eu envie de le réconforter, comme il m'avait réconfortée tant de fois. Doucement, je l'ai embrassé, de sorte qu'il ne puisse plus douter de mon amour pour lui. Ronronnant presque de plaisir, il a resserré son étreinte.

— Pourquoi Hunter était-il ici, dans la maison de ta mère, le soir où elle réunissait son cercle ? ai-je poursuivi en reprenant mon souffle.

— Il aime rester en contact avec nous, a dit Cal sur un ton sarcastique. Je ne sais pas pourquoi. J'ai parfois l'impression qu'il veut nous rappeler qu'il est en vie, qu'il existe. Je crois qu'il aime bien nous remettre son existence à la figure.

— Beurk ! Il est horrible. Je n'arrive pas à le prendre en pitié. Je ne peux tout simplement pas le supporter ; je déteste ce qu'il te fait subir. S'il continue, il ferait bien de se méfier.

Cal souriait.

— Mmm, j'aime bien quand tu fais la dure à cuire.

— Je suis sérieuse. Je vais le zapper si fort avec un éclair de sorcière qu'il ne saura même pas par quoi il a été touché.

J'agitais les doigts, étonnée par la violence de mes sentiments.

Le sourire de Cal s'est élargi.

— Que dirais-tu de changer de sujet ?

Il m'a embrassée, puis s'est reculé.

— J'ai une question à te poser. As-tu pensé aux cours que tu aimerais suivre à l'université, l'année prochaine ?

Surprise et perplexe, j'ai froncé les sourcils.

— Je ne suis pas sûre. Pendant un moment, j'ai pensé m'inscrire au MIT (Massachusetts Institute of Technology) ou peut-être à celui de Californie. Tu sais, quelque part en maths.

— Bollée, m'a taquinée Cal affectueusement.

— Pourquoi veux-tu savoir ça?

Un sujet aussi banal avait quelque chose de bizarrement normal, après avoir discuté de l'Assemblée des sorcières et des anciens clans de la magye.

— J'ai réfléchi à notre avenir, a-t-il dit calmement, sans prendre de détour. Je songeais à aller en Europe l'an prochain; peut-être à prendre une année pour voyager. Je pensais aussi que je pourrais nous dénicher un petit appartement à mon retour. Nous pourrions fréquenter la même institution, toi et moi.

J'avais écarquillé les yeux et, abasourdie, j'ai dit dans un soupir :

— Tu parles de… vivre ensemble?

— Oui, vivre ensemble, a-t-il répété, avec un demi-sourire, comme s'il parlait de faire nos devoirs ou d'aller au cinéma ensemble. Je veux vivre avec toi. Personne n'a jamais voulu me protéger jusqu'ici, comme tu l'as fait, a-t-il ajouté en plongeant son regard dans le mien.

Cette pensée me faisait respirer plus fort. En riant, je l'ai empoigné et l'ai poussé contre le canapé. Je voulais l'embrasser, mais nous sommes tombés ensemble sur le plancher, dans un bruit sourd.

— Aïe ! a dit Cal en se frottant la tête.

Puis il m'a souri et je l'ai embrassé. Mais au même moment, mon œil s'est arrêté sur une vieille horloge grand-père, ce qui m'a aussitôt fait perdre mon inspiration. Il se faisait tard. Maman et papa allaient commencer à s'inquiéter.

— Il faut que j'y aille, ai-je dit à contrecœur.

— Un de ces jours, tu ne seras plus obligée de partir, a-t-il promis.

J'ai repris mon manteau, et Cal m'a raccompagnée jusqu'à ma voiture. Tout à mon bonheur, je n'ai même pas senti le froid pendant le trajet jusqu'à la maison.

13

Le côté obscur

Litha, 1996

Jusqu'à aujourd'hui, ma vie a été un long hiver. Mais hier soir, à l'occasion de mon initiation, le printemps a percé la glace. C'était magique. Tante Shelagh et oncle Beck ont présidé le rituel. Les aînés du cercle étaient rassemblés tout autour. On m'avait bandé les yeux et fait boire du vin. Puis, on m'a fait subir un examen et j'ai répondu du mieux que je pouvais. À l'aveugle, j'ai tracé un cercle, j'ai dessiné mes runes et j'ai prononcé mes formules magyques. La chaleur de la nuit d'été a fait place aux froides bourrasques de la mer du Nord, qui soufflaient au large de la côte. Quelqu'un a tenu la pointe affûtée d'une dague près de mon œil droit et m'a dit d'avancer. J'essayais de me rappeler si j'avais déjà vu des membres du cercle avec des yeux crevés, mais je n'en avais aucun souvenir ; alors j'ai avancé courageusement et la pointe de la dague s'est évaporée.

J'ai chanté mon chant d'initiation seul, dans le noir, tout en sentant le poids de la magye peser sur moi, les pieds dans la bruyère rêche du cap. J'ai chanté mon chant, la magye m'a pris et m'a soulevé, et je me suis senti immense, puissant et débordant de joie et de connaissance. Puis on m'a débandé les yeux ; mon initiation était achevée. J'étais une sorcière, un homme fait aux yeux de la sorcellerie. Nous avons bu du vin et j'ai embrassé tout le monde, même oncle Beck, qui m'a embrassé à son tour et m'a dit qu'il était fier de moi. Cousine Athar m'a taquiné, mais je me suis contenté de lui sourire gentiment. Plus tard, j'ai pourchassé Molly F. Je lui ai donné un vrai baiser, mais elle m'a repoussé et menacé de le dire à tante Shelagh.

Je suppose que je n'étais pas tout à fait l'homme que je croyais être.

— Giomanach

Vendredi, à mon réveil, les vestiges d'un rêve troublant flottaient dans ma tête telles des bannières déchirées battant au vent. Je me suis étirée plusieurs fois dans le but de m'en débarrasser, et ils ont fini par s'estomper, mais je n'avais pas la moindre idée de ce que ça pouvait être : aucune image persistante ni aucune émotion nette pour me mettre sur une piste. Je savais seulement que j'avais fait des rêves cauchemardesques.

Je m'étais couchée trop tard, car j'avais lu le Livre des ombres de Maeve, ainsi que le livre sur les Woodbane qu'Alyce m'avait donné. Savoir que Maeve était ma mère biologique, pour ensuite apprendre qu'elle était une Woodbane, tout cela était encore fort étrange pour moi. Ma vie durant, j'avais senti que j'étais un tantinet différente de ma famille et je m'étais demandé pourquoi. Le plus curieux, maintenant que je connaissais mes origines, c'était que je me sentais davantage une Rowlands et moins une sorcière irlandaise.

Rien qu'à regarder par la fenêtre, je devinais que l'air était froid et désagréable dehors. J'étais blottie dans mon lit, bordée par un chaton adorable à souhait et profondément endormi.

Alors, pas question de me lever.

— Morgan, il faut te dépêcher ! m'a crié Mary K., qui avait l'air dans tous ses états.

Une seconde après, elle entrait en trombe dans ma chambre et tirait sur ma douillette.

— Nous avons 10 minutes pour courir à l'école ; il neige et je ne peux pas y aller à bicyclette. Debout !

Je me suis dit merde, mais me suis levée. Un de ces jours, il faudrait vraiment que je cède à mon désir de faire l'école buissonnière.

Nous sommes arrivées alors que la cloche sonnait son dernier coup, et je suis rentrée dans ma classe au moment où on appelait mon nom. Sans que ce soit nécessaire, j'ai répondu, essoufflée, en m'assoyant : *Présente !* Tamara m'a fait un petit sourire. J'ai sorti ma brosse et commencé à me démêler les cheveux. À l'autre bout de la salle, Bree parlait avec Chip Newton. Je pensais à Sky et Raven, à leur cercle, à Sky discourant sur le côté obscur. Je ne savais toujours pas trop bien ce qu'était le côté obscur, sinon pour avoir lu un vague paragraphe dans un de mes livres sur la Wicca. Il me faudrait pousser mes recherches un peu plus loin. Il fallait aussi que je termine la lecture du livre sur les Woodbane, qu'Alyce m'avait donné. Cal m'avait dit qu'il n'y avait pas de côté obscur en soi, qu'il n'y avait que la grande roue de la Wicca. Peut-être pourrais-je poser la question à Alyce.

J'ai jeté un œil à Bree, comme si je pouvais deviner, rien qu'à la regarder, ce qu'elle faisait ou pensait. J'étais habituée à voir dans ses yeux tout ce qui se passait dans sa vie ; je pouvais aussi lui confier tout ce qui m'arrivait. Plus maintenant. Nous parlions désormais des langages différents.

C'était une journée étrange.

À l'école, Matt évitait de me regarder. Jenna semblait nerveuse. Cal était bien, évidemment. Nous savions que nous avions atteint un nouveau degré d'intimité. Chaque fois que nous nous rencontrions, nous souriions. Il était mon rayon de soleil. Robbie était égal à lui-même, et c'était intéressant de voir comment des filles qui ne s'étaient jamais intéressées à lui auparavant s'évertuaient maintenant à lui poser des questions sur les devoirs, les problèmes d'échecs, voire sur le genre de musique qu'il aimait. Ethan et Sharon se tournaient encore autour sans avoir l'air d'y toucher.

Néanmoins, toute la journée, je me suis sentie fébrile. Je n'avais pas dormi suffisamment et trop de questions se bousculaient dans ma tête. Je ne pouvais ni me détendre ni être attentive en classe. Je ressassais sans arrêt ce que j'avais lu dans le Livre des ombres de Maeve. Je songeais au comportement bizarre de Hunter, puis je me revoyais collée contre Cal, devant le feu de foyer, si totalement amoureuse de lui. Qu'est-ce qui m'empêchait de me concentrer ? J'avais besoin de me retrouver seule, ou mieux, avec Cal, pour méditer et focaliser mon énergie.

À la fin des cours, j'ai attendu Cal près de sa voiture. Il parlait avec Matt, et cela m'intriguait. Matt avait l'air mal à l'aise, mais il faisait oui de la tête. J'avais l'impression que Cal le réconfortait. C'était bien.

Mais j'espérais aussi qu'il disait à Matt que ce n'était pas très correct de s'envoyer en l'air avec Raven, dans le dos de Jenna.

Finalement, Cal m'a aperçue. Il s'est avancé et m'a prise par la taille. J'étais consciente que Nell Norton approchait, l'air envieux, et ça me faisait plaisir.

— Fais-tu quelque chose là, tout de suite ? ai-je demandé à Cal. Peux-tu rester avec moi ?

— J'aimerais bien, a-t-il répondu en saisissant mes cheveux à pleines mains et en me donnant un baiser sur le front. Maman reçoit des visiteurs de l'extérieur et elle veut me les présenter. Des gens de son ancien cercle de Manhattan.

— Combien de cercles a-t-elle eus ?

— Hum, attends, a dit Cal en comptant dans sa tête. Huit, je crois. Elle forme un nouveau cercle et s'assure qu'il est vraiment solide ; puis elle entraîne un nouveau chef, et lorsque les membres sont prêts, elle poursuit son chemin. Il m'a souri. Elle est comme le Johnny Appleseed* de la Wicca.

* N.d.T. : Pionnier américain qui a, entre autres, introduit et planté de nombreux pommiers en Ohio, en Indiana et en Illinois. Son histoire a inspiré un roman et un court-métrage.

J'ai ri. Cal m'a embrassée encore une fois avant de monter dans sa voiture. Je me dirigeais vers Das Boot lorsqu'une fourgonnette a ralenti près de moi, vitre baissée.

— Jaycee me raccompagne à la maison, a lancé Mary K. en me faisant un salut de la main.

J'ai ensuite vu Robbie et Bree partir dans leur voiture respective. J'aurais aimé savoir où Bree allait, mais je n'avais pas l'énergie émotionnelle ou physique pour la suivre.

J'ai donc pris la route de Red Kill.

La boutique Magye pratique embaumait l'encens, le thé et les chandelles qui se consumaient. Dès que j'ai mis le pied à l'intérieur, je me suis détendue pour la première fois depuis ma sortie du lit ce matin.

Pendant un moment, je suis restée sur le pas de la porte à me réchauffer, sentant mes poumons se gonfler et mes doigts tiédir. J'avais les cheveux légèrement humides à cause de la neige, et des gouttelettes sont tombées par terre lorsque j'ai secoué la tête. Derrière le comptoir, David a levé les yeux et m'a regardée attentivement. Il ne souriait pas, mais je pouvais quand même lire sur son visage qu'il était content de me voir. Peut-être avais-je fini par m'habituer à lui, car j'ai eu l'impression de retrouver un vieil ami. Je ne m'étais pas sentie spontanément à l'aise avec lui, comme avec Alyce, et je ne comprenais pas bien pourquoi. Mais il semble bien que j'avais fini par m'habituer.

— Allô Morgan ! comment ça va ?

J'ai réfléchi un moment, puis, esquissant un petit sourire las, j'ai répondu en haussant les épaules :

— Je ne sais pas.

David a hoché la tête, puis a poussé un rideau qui servait de porte derrière le comptoir et dissimulait un cagibi encombré. J'ai vu une petite table bancale avec trois chaises, un frigo rouillé et un réchaud à deux ronds. Une bouilloire commençait déjà à siffler sur le feu. Étrange, ai-je pensé. Savait-il à l'avance que j'allais venir ?

— Je crois qu'un peu de thé te ferait le plus grand bien, a-t-il dit.

— Ce serait parfait, ai-je répliqué sincèrement, décidant d'accepter l'amitié qu'il semblait m'offrir. Merci.

J'ai mis mes gants dans mes poches et jeté un œil dans le magasin. Il n'y avait personne d'autre.

— Journée calme ? ai-je demandé.

— Nous avons eu quelques clients ce matin, a dit David de l'autre côté du rideau. Mais l'après-midi a été tranquille. J'aime bien quand c'est ainsi.

Je me demandais s'ils rentraient dans leurs frais.

— Hum, qui est propriétaire du magasin ?

— Ma tante Rose, en fait, a dit David. Mais elle est très vieille maintenant et ne vient que rarement. Cela fait plusieurs années que j'y travaille à temps partiel, depuis ma sortie de l'université.

J'ai entendu cliquer les cuillers dans les tasses, puis il est réapparu avec deux tasses fumantes dans les mains. Il m'en a tendu une. Je l'ai prise avec plaisir et j'ai humé son arôme inusité.

— Merci. Quel genre de thé est-ce ?

— Devine, a dit David en avalant une première gorgée.

Je l'ai regardé, incertaine. Il attendait ma réponse. Était-ce un test ? Peu sûre de moi, j'ai fermé les yeux et j'ai humé longuement. J'y décelais plusieurs parfums qui, ensemble, donnaient un mélange suave, mais je n'arrivais pas à en reconnaître un seul.

— Je ne sais pas.

— Tu le sais, m'a encouragée David doucement. Il suffit que tu sois à l'écoute.

À nouveau, j'ai fermé les yeux et j'ai inspiré tout en m'efforçant d'oublier qu'il s'agissait d'un liquide dans une tasse. Je me suis concentrée sur l'odeur, sur les qualités inhérentes aux vapeurs d'eau. J'inspirais et expirais lentement, faisant taire mes pensées, abandonnant les tensions de la journée. Plus j'étais calme, plus j'avais l'impression de faire corps avec le thé. Dans mon œil intérieur, je voyais le fumet s'élever et osciller devant moi, se dissolvant dans le plus petit souffle d'air.

J'ai pensé : *Parle-moi ; montre-moi ta nature.*

Puis, tandis que je me concentrais ainsi, l'arôme a ondulé jusqu'à se séparer en quatre jets distincts, comme un fil fin se déroulant lentement. Dès l'inspiration suivante, j'étais seule dans la prairie. Le soleil brillait, et il faisait chaud ; j'ai tendu la main pour toucher un bouton rose d'une rondeur parfaite. Son riche parfum m'a chatouillé les narines et je me suis laissée imprégner de sa beauté.

— Rose, ai-je murmuré.

David ne faisait pas un geste.

Je me suis tournée vers le deuxième filet vaporeux et j'ai suivi sa trace. Je l'ai vu s'arracher à la terre, sa peau rugueuse maculée de terre noire. Une fois qu'il a été lavé et pelé, sa chair rose a été râpée et il s'en est dégagé une forte odeur.

— Oh, gingembre, ai-je poursuivi en hochant la tête.

Le troisième filet de vapeur émanait d'une rangée de buissons d'un beau gris argenté, surmontés de fleurs violettes. Bourdonnant autour de ce bosquet, j'ai vu plus d'abeilles que j'en avais vu dans toute ma vie. Elles formaient une chape vivante d'insectes vibrants. Le soleil brûlant, la terre noire et le bourdonnement incessant des abeilles me donnaient une envie irrésistible de m'assoupir.

— Lavande.

Le dernier filet dégageait un parfum plus boisé, moins familier et moins charmant. Je voyais une plante basse aux feuilles froissées, avec de minces tiges de fleurs miniatures. J'ai écrasé quelques feuilles dans ma main avant de les sentir. Leur arôme était terreux et différent, presque désagréable. Mais mélangé aux trois autres, il formait un tout parfaitement équilibré, y ajoutant de la force et contrant l'odeur âcre du gingembre. J'ai tenté ma chance :

— Je dirais scutellaire. Mais je ne suis pas sûre de ce que j'avance.

Quand j'ai ouvert les yeux, j'ai vu que David m'observait.

— Très bien, a-t-il dit en hochant la tête. En fait, c'est excellent. La scutellaire est une plante vivace. Ses tiges fleuries aident à faire baisser la tension.

Comme le thé avait eu le temps de tiédir, j'en ai pris une gorgée. Je n'ai pas vraiment relevé ses saveurs. J'ai davantage remarqué ses différentes essences ; je laissais leurs pouvoirs de guérison, d'apaisement et de détente me réchauffer. Puis, je me suis assise sur un banc de l'autre côté du comptoir. Mais alors, sans crier gare, tous les aspects instables de ma vie me sont revenus en tête et j'ai eu l'impression de suffoquer. Matt et Jenna, Sky, Bree et Raven, Hunter, le fait d'être une Woodbane, Mary K. et Bakker... c'était écrasant. La seule chose positive dans tout ça, c'était Cal.

— J'ai parfois l'impression de ne rien savoir, me suis-je entendue dire. Je voudrais seulement que les choses soient claires et nettes. Mais les choses, comme les gens, sont faites de différentes couches. Aussitôt que j'en découvre une, une autre se fait jour et tout est à recommencer.

— Plus tu apprends, plus tu as besoin d'apprendre, a acquiescé David calmement. La vie est ainsi faite. La Wicca est ainsi faite. Et tu es faite ainsi.

— Que veux-tu dire ?

— Tu croyais te connaître, puis tu découvres une chose, puis une autre. Cela change complètement ta façon de te percevoir et de percevoir tes relations avec les autres.

Il avait dit cela sur un ton très neutre ; alors je lui ai demandé, pour être sûre d'avoir bien compris :

— Veux-tu dire que ce genre de trucs arrive à tout le monde, ou à moi en particulier ?

Dehors, le soleil blafard de l'après-midi avait déclaré forfait et disparaissait derrière un amas de nuages gris. Par la fenêtre, je distinguais à peine l'imposante silhouette de Das Boot, déjà enfouie sous trois centimètres de neige.

— C'est pareil pour tout le monde, a-t-il dit en souriant, mais je parlais de toi en particulier.

J'ai cligné des yeux, sans trop comprendre. David avait déjà dit que j'étais une sorcière qui faisait semblant de ne pas en être une.

— Penses-tu encore que je fais semblant de ne pas être une sorcière ?

Il n'a pas paru s'inquiéter du fait que je savais ce qu'il avait dit.

— Non.

Il hésitait, rassemblait ses pensées. Puis, me regardant droit dans les yeux, il continua :

— C'est plutôt que tu ne te présentes pas clairement, parce que tu n'es pas encore certaine de qui tu es, de ce que tu es. J'ai su toute ma vie que j'étais un sorcière ; cela fait 32 ans. Et j'ai aussi toujours su…

Il s'est tu une fois encore, comme pour se faire une idée. Puis il a repris sereinement :

— Je suis un Burnhide. Ce n'est pas seulement qui je suis, c'est ce que je suis. Je suis le même au dedans qu'au dehors. Tu es différente, parce que tu as découvert tout récemment…

— Que je suis une Woodbane ?

— J'allais dire… découvert que tu es une sorcière. Mais à présent, tu sais que tu es une Woodbane. Tu n'as cependant pas encore découvert ce que cela signifie pour toi ; aussi, est-il presque impossible, pour le moment, de te faire une idée de ce que cela peut signifier pour les autres.

J'ai hoché la tête. Je commençais à comprendre le sens de ses propos.

— Alyce m'a dit un jour que vous étiez tous deux des sorcières de sang, mais que vous ne saviez pas à quel clan vous apparteniez. Mais tu es un Burnhide ?

— Oui. La majorité des Burnhide s'est établie en Allemagne. Ma famille venait de là. Nous avons toujours été des Burnhide. Pour la majorité des sorcières de sang, ton clan est considéré comme une affaire privée. De nos jours, il y a tellement de sorcières qui ne savent plus d'où ils viennent que, tant qu'ils ne savent pas bien à qui ils s'adressent, la plupart prétendent ne pas savoir à quel clan ils appartiennent.

J'étais flattée qu'il m'ait accordé sa confiance.

— Eh bien, je suis une Woodbane, ai-je dit maladroitement.

David m'a fait un sourire dépourvu de préjugés.

— C'est bon de savoir ce que tu es, a-t-il ajouté. Plus tu en sais, plus tu en sais !

J'ai éclaté de rire, puis j'ai avalé une autre gorgée de thé.

— Existe-t-il un moyen de vraiment reconnaître les clans ? ai-je voulu savoir, au bout d'un moment. J'ai lu que les Leapvaughn ont les cheveux roux.

— Ce n'est pas un détail très fiable, a-t-il répondu, au moment où le téléphone se mettait à sonner.

David a penché la tête durant quelques secondes pour se concentrer, et il n'a pas répondu. Dans la pièce du fond, j'ai entendu le répondeur automatique enregistrer l'appel.

— Par exemple, beaucoup de Burnhide ont les yeux noirs, et plusieurs d'entre eux ont tendance à grisonner très jeunes, a-t-il ajouté en me montrant ses cheveux argentés. Mais cela ne signifie pas que toutes les personnes qui ont les yeux noirs et les cheveux gris soient des Burnhide, pas plus que tous les Burnhide ont la même apparence.

— Et que dis-tu de ça ? ai-je demandé soudain, en levant mon chandail pour lui montrer ma tache de naissance, juste sous le bras droit.

Mon besoin de savoir avait eu raison de ma gêne.

— Ouais, l'athamé des Woodbane, a dit David le plus simplement du monde. Même chose. Tous les Woodbane n'ont pas la même tache de naissance.

C'était pour le moins choquant d'entendre dire avec tant de désinvolture que j'avais été marquée toute ma vie du symbole d'un clan, sans jamais m'en douter.

— Et qu'en est-il de l'Assemblée internationale des sorcières ? ai-je demandé, suivant le cours de mes pensées.

La cloche a sonné à la porte d'entrée et deux filles qui avaient environ mon âge sont entrées dans la boutique. Sans l'avoir décidé, j'ai mis mes sens à l'affût et j'ai aussitôt détecté qu'elles n'avaient rien à voir avec la magye : c'étaient simplement des filles. Elles avançaient lentement dans le magasin, chuchotant et ricanant, en regardant toute la marchandise.

— C'est une assemblée indépendante, a repris David à voix basse. Elle est censée représenter tous les clans modernes ; il y en a des centaines qui ne sont affiliés à aucune des sept grandes maisons. Sa fonction principale est d'observer et parfois de punir l'usage illégitime de la magye… de celle dont on fait usage pour exercer son pouvoir sur les autres, par exemple, ou pour interférer avec les autres sans qu'ils le sachent et sans leur consentement. La magye dont on se sert pour faire du mal.

— Ainsi, ils sont un peu comme la police de la Wicca.

— Il y en a certainement qui voient l'Assemblée sous cet angle, a dit David en haussant les sourcils.

— Comment peuvent-ils savoir si quelqu'un se sert de la magye pour de mauvaises raisons ?

Derrière nous, les filles avaient quitté la section des livres et s'exclamaient maintenant devant les magnifiques bougies fabriquées à la main. J'appréhendais leurs commentaires, au moment où leur regard se porterait sur les chandelles en forme de pénis.

— Oh, mon Dieu ! a chuchoté l'une des filles, et cela m'a fait sourire.

— Il y a, au sein de l'Assemblée, des sorcières qui sont précisément chargées de rechercher ces personnes, m'a expliqué David. On les appelle les traqueurs. C'est leur travail d'enquêter sur des allégations de magye noire ou sur le mauvais usage des pouvoirs.

— Les traqueurs ?

— Oui. Attends, je vais t'expliquer.

David a contourné le comptoir et s'est dirigé dans la section des livres. Puis, s'arrêtant devant une étagère, il a sorti un vieux volume usé dont il s'est mis à tourner les pages.

— Tiens, a-t-il dit en revenant vers moi. Écoute ça.

Je le regardais en sirotant mon thé, lorsqu'il a commencé à lire :

— « Je suis peiné de dire qu'il y en a qui n'acceptent pas la sagesse et le bien-fondé de la Haute assemblée. Certains clans souhaitent rester séparés, secrets, isolés de leurs pairs. Bien sûr, personne ne pourrait blâmer un clan de préserver le caractère confidentiel de son savoir. Nous sommes tous d'accord pour dire que les formules magyques d'un clan, son histoire et ses rituels lui appartiennent en propre. Mais en cette ère moderne, nous avons vu qu'il est sage de faire front commun, de partager autant que faire se peut, afin de créer une société dans laquelle nous pouvons participer pleinement et célébrer avec nos semblables. C'est le but de la Communauté internationale des sorcières. »

Il s'est arrêté un moment et m'a regardée.

— Cela me semble être une bonne chose.

— Oui, a-t-il dit, mais il y avait quelque chose de bizarre dans le ton de sa voix, et il a repris sa lecture : « On ne peut faire autrement que de douter de ceux qui refusent de participer, qui travaillent à l'encontre de cet objectif et qui utilisent le genre de magye que l'Assemblée désapprouve. Dans le passé, ce genre d'apostasie en a mené un nombre incalculable à leur perte. Celui qui est seul possède peu de force et retire peu de joie de la magye maléfique. De là l'existence des traqueurs. »

Quelque chose, dans sa façon de prononcer le mot *traqueur*, me donnait le frisson.

— Et que font-ils exactement ?

— « Les traqueurs sont des membres de l'Assemblée qui ont été choisis pour retrouver les sorcières ayant dépassé les limites que nous nous sommes fixées. S'ils découvrent des sorcières qui travaillent activement contre l'Assemblée, qui cherchent à se faire du mal ou à en faire aux autres, ils ont toute la latitude pour sévir contre eux. Mieux vaut surveiller les nôtres de l'intérieur, avant que le reste du monde ne décide une fois de plus de nous surveiller de l'extérieur. »

David a refermé le livre et m'a regardée.

— Ce sont les mots de Birgit Fallon O'Roark. Elle était grande prêtresse de la Haute assemblée, de 1820 à 1860.

Mon thé refroidissait. Je l'ai terminé d'un coup et j'ai remis la tasse sur le comptoir.

— Que font les traqueurs lorsqu'ils découvrent des sorcières qui travaillent contre l'Assemblée ?

— Normalement, ils leur jettent des sorts pour les aveugler, a dit David, l'air bouleversé.

Sa voix était devenue rauque, comme si le seul fait de prononcer ces mots le faisait souffrir. Mais il a poursuivi :

— De sorte qu'ils ne peuvent plus utiliser leurs pouvoirs magyques. Il y a des choses que l'on peut faire, des herbes ou des minéraux qu'on peut leur faire ingérer… et ils ne pourront plus jamais se prévaloir de leurs pouvoirs magyques.

J'ai senti un vent froid s'abattre sur moi. J'avais l'estomac tout retourné.

— Est-ce terrible ?

— C'est vraiment terrible, a dit David avec emphase. Être magyque et ne pas pouvoir te servir de tes pouvoirs, c'est suffocant… c'est comme être enterré vivant. C'est assez pour perdre la raison.

Je pensais à Maeve et Angus, qui vivaient en Amérique depuis des années et qui avaient renoncé à leurs pouvoirs. Comment avaient-ils pu le supporter ? Qu'est-ce que cela leur avait fait ? Je repensais à mon rêve suffocant, à quel point cela avait été intolérable. La vie quotidienne avait-elle été aussi difficile pour eux, sans la Wicca ?

— Mais si tu abuses de tes pouvoirs, tôt ou tard, un traqueur finira par te découvrir, a ajouté David en secouant la tête, un peu comme s'il se parlait à lui-même.

Soudain, il avait l'air plus vieux, le visage marqué par des souvenirs que je préférais ne pas connaître.

Il faisait noir dehors. Je me demandais qui Cal allait rencontrer et s'il me téléphonerait plus tard. Je me demandais si Hunter faisait vraiment partie de l'Assemblée. Il ressemblait davantage à une des sorcières maléfiques que l'Assemblée demanderait à un traqueur de poursuivre.

Je me demandais si Maeve et le reste du cercle Belwicket avaient pu renoncer à leur côté obscur. Ce côté obscur accepterait-il d'être jeté aux oubliettes ?

— Existe-t-il un côté obscur ?

J'avais posé la question à tout hasard, et j'ai senti que David avait eu un mouvement de recul.

— Oh, oui, a-t-il répondu doucement. Oui, il y a un côté obscur.

J'ai dégluti en pensant à Cal.

— Quelqu'un m'a dit que cela n'existait pas, que la Wicca formait un grand cercle, que tout était relié et que nous faisions tous partie du même tout. Cela voudrait dire que la Wicca n'a pas deux faces, l'une lumineuse et l'autre obscure.

— C'est aussi vrai, a dit David, l'air songeur. On dit lumineux et obscur lorsqu'on parle de la magye utilisée pour faire le bien et de la magye utilisée pour faire le mal ; pour les différencier, en quelque sorte.

— Ce sont donc deux choses différentes ? ai-je insisté.

Lentement, David a passé son doigt sur le rebord circulaire de sa tasse.

— Oui. Elles sont différentes, sans pour autant s'opposer. Souvent, elles sont côte à côte, très similaires. Cela a à voir avec la philosophie et l'interprétation que les gens font de leurs actions. Cela a à voir avec l'esprit de la magye, avec la volonté et l'intention. C'est très compliqué. C'est pourquoi il nous faut continuer à étudier notre vie durant. David a levé les yeux et m'a souri.

— Mais peux-tu dire que quelqu'un est du côté obscur, que cette personne est maléfique et que tu ferais mieux de te tenir loin d'elle ?

Une fois encore, David a eu l'air bouleversé.

— Tu pourrais. Mais cela ne dirait pas tout. Y a-t-il des sorcières qui se servent de la magye pour faire le mal ? Oui. Y a-t-il des sorcières qui se servent de la magye pour blesser les autres ou pour leur propre profit ? Oui. Faut-il empêcher certaines sorcières d'agir ? Oui. Mais ce n'est pas toujours aussi simple que cela.

J'avais l'impression que rien n'était simple dans la Wicca.

— Bon, je ferais mieux de rentrer, ai-je dit en poussant ma tasse sur le comptoir. Merci pour la conversation. Et pour le thé.

— Tout le plaisir est pour moi, a dit David. Tu peux venir me voir aussi souvent que tu le souhaites, si tu as envie de parler. Parfois, Alyce et moi… nous nous inquiétons pour toi.

— Pour moi ? Pourquoi ?

— Parce que tu es sur le point de devenir celle que tu seras, a-t-il répondu gentiment, avec un petit sourire au coin des lèvres. Ce ne sera pas facile. Tu pourrais avoir besoin d'aide. Alors, n'hésite pas à venir nous voir.

— Merci, ai-je répété, rassurée, sans toutefois comprendre ce qu'il voulait dire au juste.

Je lui ai fait un petit salut et j'ai quitté la chaleur de Magye pratique pour rentrer chez moi. Mes pneus ont glissé un peu en reculant, mais j'ai vite repris la route de Widow's Vale, ravie d'assister à la valse des flocons de neige illuminés par la lumière des phares.

14

La divination

Litha 1996

Tôt ce matin, j'étais assis avec oncle Beck, au bord de la falaise; nous regardions le jour se lever, mon premier lever de soleil en tant que sorcière, et il m'a dit la vérité au sujet de maman et papa. Durant toutes les années qui se sont écoulées depuis leur disparition, j'ai refoulé mes larmes à tout moment, refusant de m'abandonner à un chagrin enfantin.

Aujourd'hui cependant, j'ai pleuré; c'est étrange, car à présent, je suis censé être un homme. Néanmoins, j'ai pleuré. J'ai pleuré pour eux, mais surtout pour moi; pour tout ce gaspillage de colère. Je sais maintenant qu'oncle Beck avait de bonnes raisons de me cacher la vérité : nos parents avaient disparu afin de nous protéger, Linden, Alwyn et moi. Je sais qu'il a eu des nouvelles d'eux une seule fois, il y a deux ans, et qu'il n'a même pas essayé de deviner où ils se trouvaient.

Et je sais pourquoi.

Maintenant, je sais aussi quoi faire de ma vie, où je vais, ce que je serai ; c'est drôle, car tout est inscrit dans mon nom, de toute façon. Je vais pourchasser ceux qui ont décimé ma famille, et je n'aurai de cesse de les traquer tant que je n'aurai pas tracé Yr sur leur visage, avec leur sang.

— Giomanach

J'étais à environ deux kilomètres de la maison quand j'ai vu des phares derrière moi. D'abord, il n'y avait rien, pas une seule voiture en vue. Puis, après un tournant, les phares sont apparus soudainement dans mon rétroviseur, m'aveuglant, baignant ma voiture de lumière, comme si elle était éclairée de l'intérieur. J'ai fait clignoter mes lumières de freins à quelques reprises, mais celui qui me suivait ne m'a pas doublée et n'a pas éteint ses feux de croisement. Les phares se rapprochaient.

J'ai ralenti, comme pour dire « lâche-moi les baskets », mais l'autre voiture est venue se coller à mon pare-chocs. Je commençais à sentir monter en moi ce qu'on appelle la rage au volant. Qui se permettait de me suivre ainsi ? Un petit farceur, un jeune idiot conduisant la voiture paternelle ? J'ai pesé sur l'accélérateur, mais l'autre a fait de même. Mes pneus ont glissé légèrement à un coin de rue. L'autre imitait mes moindres manœuvres. Un frisson nerveux a couru le long de ma colonne vertébrale. Mes essuie-glaces allaient et venaient au rythme de mon pouls, balayant la neige dès qu'elle touchait le pare-brise. Je ne voyais aucune autre lumière sur la route. Nous étions seuls.

OK. Il se passait définitivement quelque chose. J'avais entendu des histoires de pirates de la route… mais je conduisais une Valiant 1971. Même si je l'aimais beaucoup, j'aurais été étonnée que quelqu'un veuille me la prendre de force, surtout au beau milieu d'une tempête de neige. Que me voulait cet imbécile, alors ?

Chaque fois que je regardais dans le rétroviseur, la lumière des phares me transperçait les pupilles. Je clignais des yeux dans l'espoir de me débarrasser d'une mer de points violets. Peu à peu, ma colère se transformait en effroi. Je ne voyais presque rien… rien, sinon ces lumières qui, à chaque seconde, me semblaient de plus en plus aveuglantes. Et puis, je n'entendais pas le moteur de l'autre voiture. C'était comme…

Magyque.

Le mot s'était insinué dans ma tête en rampant comme un serpent.

Je me suis mordu la lèvre. Et s'il n'y avait pas de voiture derrière moi ? Ces deux phares étaient peut-être la manifestation d'une force magyque. Je revoyais clairement Hunter Niall regardant sous l'Explorer de Cal, et ce dernier me montrant cette pierre où une rune était gravée. Nous savions que Hunter avait déjà tenté d'utiliser la magye sur nous, au moins une fois. Et s'il remettait ça maintenant, sur moi ?

J'ai pensé : *Vite à la maison !* Il fallait que je me rende jusque chez moi. J'ai relevé mon rétroviseur pour ne plus être aveuglée par les phares. Mais il me restait presque deux kilomètres et demi à parcourir. La maison était encore loin. Zut, ai-je marmonné d'une voix tremblante. Puis, avec ma main droite, j'ai tracé des signes sur le tableau de bord : Eolh, pour la protection ; Ur, pour la force ; Rad, pour le voyage…

Les phares paraissaient encore plus brillants dans le rétroviseur. Ma main gauche a donné un coup de volant involontaire et j'ai senti des cahots sous mes roues.

Je n'ai pas eu le temps de réagir ; mon auto s'est mise à glisser en direction du fossé. *Déesse !* ai-je appelé sans ouvrir la bouche. Je tenais le volant à deux mains, tandis que la peur et l'adrénaline me transperçaient le corps de leurs flèches invisibles. J'avais perdu le contrôle ; les pneus n'adhéraient plus à la chaussée. Telle une grosse banquise isolée, Das Boot dérivait sur une immense plaque de glace.

Pendant les secondes qui ont suivi, tout s'est passé au ralenti. Le nez de la voiture a percuté un amas de glace et de neige, dans un bruit de ferraille. J'ai été projetée vers l'avant et j'ai entendu éclater les phares. Puis, le silence. L'immobilité… Je suis restée là pendant quelques secondes, paralysée, incapable de bouger. Je n'entendais plus que ma propre respiration, saccadée et inégale.

Puis j'ai pensé : *Bon. Je ne suis pas blessée.*

Quand j'ai levé la tête, j'ai cru voir, l'espace d'un éclair, deux lumières rouges s'évaporant dans la nuit.

J'ai plissé les yeux. Donc... c'était une vraie voiture au bout du compte.

Soupirant, tremblante, j'ai arrêté le moteur. Puis, j'ai ouvert la portière et me suis extirpée de l'habitacle, ce qui n'était pas chose facile, considérant que Das Boot était tombée de travers. J'avais du mal à me concentrer, mais j'ai fait appel à ma vision magyque et j'ai scruté la route dans la direction où l'autre voiture avait disparu. Hélas, je ne voyais que des arbres, des oiseaux endormis et le faible rougeoiement des créatures nocturnes.

L'autre véhicule s'était évaporé.

Je respirais fort, appuyée à la portière, les poings serrés dans les poches de mon manteau. Même si j'étais à peu près convaincue que ces phares n'avaient rien de magyque, ma peur ne se calmait pas. Quelqu'un m'avait fait perdre la maîtrise de ma voiture. Das Boot était dans le fossé et je n'y pouvais rien. J'avais un nœud dans la gorge et je tremblais comme une feuille, sur le point d'éclater en sanglots. Que m'arrivait-il ? Me rappelant les runes que j'avais dessinées sur le tableau de bord avant l'accident, je les ai tracées de nouveau dans l'air glacial autour de moi : Eolh, Ur, Rad. Mes mouvements vifs m'aidaient à me calmer un peu, à tout le moins assez pour que je tente de trouver une solution.

En fait, je ne voyais qu'une option possible : il fallait que je fasse le reste du chemin à pied jusque chez moi. Je n'avais pas de téléphone cellulaire ; je ne pouvais donc pas appeler à l'aide. Et je n'avais aucune envie d'attendre là, toute seule à la noirceur, sur cette route glacée et isolée.

J'ai rouvert la portière pour récupérer mon sac à dos à l'intérieur de Das Boot, puis j'ai verrouillé les portes. J'étais perplexe. La marche jusque chez moi promettait d'être longue et difficile. Mais au moment où je mettais mon sac à dos sur mon épaule, un éclair de lumière a illuminé la neige autour de moi et j'ai entendu le bruit sourd d'un moteur. En me retournant, j'ai vu une auto approcher lentement… elle arrivait de la direction où l'autre avait disparu.

Le soulagement que j'ai brièvement ressenti à l'idée d'être saine et sauve s'est évaporé lorsque la voiture s'est immobilisée à moins de cinq mètres de l'endroit où je me tenais. Les phares n'étaient pas aussi brillants, mais pour ce que j'en savais, c'était la même voiture. Le chauffeur avait peut-être décidé de faire demi-tour pour en finir avec moi, ou…

J'ai cessé de respirer. La plaque d'immatriculation, la grille de la BMW marron clair… je l'ai reconnue avant même de voir descendre la vitre du côté du passager. C'était la voiture de Bree.

Bree me regardait, assise derrière le volant, les yeux cerclés de noir, le teint pâle et parfait. Pendant un bon moment, nous nous sommes dévisagées en silence. J'espérais ne pas avoir l'air aussi effrayée et perturbée que je me sentais. J'aurais souhaité être rayonnante de force, lorsqu'elle m'a lancé :

— Qu'est-ce qui s'est passé, Morgan ?

J'ai ouvert la bouche, puis l'ai refermée. J'ai plissé les yeux, en proie à des pensées horribles. Était-il possible que Bree m'ait elle-même poussée dans le fossé ?

C'était possible. Il n'y avait pas d'autre véhicule sur la route. Elle aurait pu faire demi-tour et revenir sur ses pas pour voir dans quel état j'étais. Mais… Bree ? Me faire du mal ?

Rappelle-toi ce que tu as entendu dans la salle de bain, me soufflait une petite voix intérieure. Elle a donné ton cheveu à une sorcière. Ne l'oublie pas.

Peut-être les choses avaient-elles changé à tout jamais. Peut-être Bree ne voulait-elle plus rien savoir de moi. Ou peut-être Sky Eventide l'avait-elle poussée à agir ainsi, à accomplir ce genre de cascade pour m'effrayer, de la même manière qu'elle l'avait incitée à lui rapporter un de mes cheveux. Un millier de pensées se bousculaient dans mon crâne, insistant pour sortir, pour être entendues : *Oh, bon sang, Bree, ne les laisse pas se jouer de toi ! Je m'inquiète pour toi. Tu me manques. Tu te comportes de façon si stupide. Je suis désolée. Il faut que je te parle. Ne sais-tu pas ce qui m'arrive ? J'ai été adoptée. Je suis une sorcière de sang. Je suis une Woodbane. Je suis désolée pour Cal…*

— Morgan, a-t-elle lancé, une ride au front.

Je me suis raclé la gorge.

— J'ai frappé une plaque de glace, ai-je dit en faisant un geste inutile en direction de ma voiture.

— Ça va ? a-t-elle demandé sèchement. Es-tu blessée ?

— Je vais bien, ai-je répondu en secouant la tête.

— Veux-tu que je te raccompagne chez toi ?

J'ai pris une profonde respiration, mais j'ai fait signe que non une autre fois. Je ne pouvais pas monter avec elle. Pas en pensant qu'elle pouvait être responsable de cet accident. Je n'osais pas prendre ce risque, même si j'avais du mal à croire que je pouvais penser de telles horreurs à propos de quelqu'un qui avait déjà été ma meilleure amie. :

— Tu en es sûre ? a-t-elle insisté

— Ça va aller, ai-je marmonné.

Sans ajouter un seul mot, elle a remonté la vitre et est repartie. J'ai remarqué qu'elle accélérait lentement afin de ne pas m'éclabousser.

Ma poitrine a commencé à faire mal tandis que je rentrais à pied..

Mes parents se sont précipités autour de moi, ce qui m'a fait du bien. Je leur ai dit que j'avais fait une sortie de route à cause d'une plaque de glace, ce qui, dans un sens, était la vérité, sans toutefois mentionner la voiture qui m'avait suivie. J'ai appelé une compagnie de remorquage, qui a accepté d'aller chercher Das Boot et de la ramener chez nous le même soir. J'ai remercié la Déesse et j'ai décidé de demander un téléphone cellulaire pour Noël.

— Es-tu sûre que tu ne veux pas venir manger au restaurant avec nous, a demandé maman après s'être assurée que j'étais bien réchauffée.

Mes parents sortaient avec tante Eileen et Paula ; ils étaient censés aller voir des maisons à vendre dans le quartier. Ensuite, ils iraient souper. Ils ne seraient pas de retour avant tard dans la soirée. Mary K. était chez Jaycee, et j'étais convaincue qu'elle avait rendez-vous avec Bakker plus tard.

– Non, merci. Je vais attendre le camion de remorquage.

Maman m'a embrassée.

Je suis tellement contente que tu t'en sois sortie sans une égratignure. Tu aurais pu être blessée, a-t-elle dit ; je l'ai serrée dans mes bras. C'était vrai. Maintenant que j'y pensais. J'aurais vraiment pu me faire très mal. Si l'incident s'était produit dans un autre détour, j'aurais pu me retrouver au fond d'un ravin profond. J'imaginais Das Boot faisant plusieurs tonneaux, pour aller s'immobiliser au fond du ravin, puis être consumée par les flammes. J'ai tressailli.

Mes parents partis, j'ai mis de l'eau à bouillir pour faire cuire mes raviolis.

Lorsque le téléphone a sonné, je savais que c'était Cal.

— Allô ! Nous prenons une petite pause. Que fais-tu ?

— Je me prépare à manger.

C'était incroyable. Je tremblais encore un peu, même si le doux son de la voix de Cal faisait des merveilles.

— J'ai, hum, eu un petit accident.

— Quoi ? s'est-il écrié, visiblement inquiet. Est-ce que ça va ?

— Ce n'était rien, ai-je répondu courageusement. J'ai seulement quitté la route pour me retrouver dans le fossé. J'attends le camion de remorquage pour Das Boot.

— Vraiment ? Pourquoi ne m'as-tu pas appelé ?

Je souriais, car je me sentais déjà beaucoup mieux. J'ai versé un tas de ravioli dans l'eau bouillante.

— J'étais encore un peu sonnée, mais je vais bien. Rien de cassé, sauf ma voiture. De toute façon, je savais que tu étais occupé.

— La prochaine fois qu'il t'arrive quelque chose, appelle-moi tout de suite, a-t-il dit après un moment de silence.

J'ai ri. Si quelqu'un d'autre m'avait dit ça, je lui aurais fait remarquer que sa réaction était démesurée.

— Je vais essayer de ne pas recommencer.

— J'aimerais pouvoir venir chez toi, a-t-il ajouté, l'air dépité. Mais nous faisons un cercle et nous sommes sur le point de commencer. Ça tombe mal. Je suis désolé.

— Ce n'est pas grave. Ne t'en fais pas trop, ai-je répondu, en brassant mes raviolis. Tu sais, je...

J'ai laissé ma phrase en suspens. J'allais lui dire que j'avais vu Bree, lui raconter mes craintes et mes affreux soupçons, mais je me suis tue. Je n'avais pas envie de rouvrir la plaie, de laisser toutes ces émotions douloureuses refaire surface.

— Tu quoi ?

— Rien.

— T'en es sûre ?

— Ouais.

— Bon, d'accord, a-t-il dit en soupirant. Je ferais mieux d'y aller. Ma mère prépare son matériel. Je ne sais pas à quelle heure ça va se terminer ; il se peut qu'il soit trop tard pour que je te rappelle. Tu sais aussi qu'on ne répond pas au téléphone durant un rituel ; tu ne pourras donc pas me joindre.

— Ça ira. Nous nous verrons demain.

— Oh, demain, a dit Cal, sur un ton plus enjoué. La fameuse fête préanniversaire. Ouais, j'ai des projets pour demain. Ce sera très spécial.

J'ai ri. Je me demandais ce qu'il préparait. Puis j'ai entendu un bruit de baiser dans le combiné, et nous avons raccroché.

Seule et tranquille, je me suis gavée de raviolis. Cela me faisait du bien d'être seule, de ne pas avoir à faire la conversation. Dans le salon, près de la cheminée, j'ai vu un panier rempli de bois d'allumage. Quelques minutes plus tard, j'avais allumé un bon feu. Je suis allée chercher le Livre des ombres de Maeve dans ma chambre et me suis calée dans le sofa en me couvrant avec le jeté crocheté par ma mère. Dès que j'ai été installée, Dagda a sauté sur mes genoux, ronronnant et me pétrissant à l'aide de ses pattes griffues.

— Hé, mon mignon, ai-je dit en le grattant derrière les oreilles.

Il s'est installé et j'ai commencé ma lecture.

6 juillet 1977

Ce soir, je pratiquerai la divination par le feu. Ma vision de sorcière est bonne, et la magye est forte. Une fois, j'ai utilisé de l'eau, mais j'ai eu du mal à y lire quelque chose. J'en ai parlé à Angus, qui s'est moqué de moi en disant que j'étais maladroite et que j'avais dû renverser une partie de l'eau que contenait le verre. Je sais qu'il me taquinait, mais plus jamais je n'ai utilisé de l'eau.

Le feu est différent. Le feu ouvre des portes dont j'ignorais l'existence.

Le feu.

Je retournais ce mot dans ma tête, et j'ai quitté la page des yeux. Ma mère biologique avait raison : le feu était différent. J'aimais le feu depuis que j'étais petite : sa chaleur, l'éclat hypnotisant des flammes rouge et or. J'aimais jusqu'au crépitement du feu lorsqu'il dévorait le bois sec. Il était pour moi comme un éclat de rire, à la fois excitant et effrayant, à cause de son appétit vorace et de sa force de destruction.

J'ai regardé les bûches qui se consumaient et me suis retournée doucement sur le sofa, en faisant mon possible pour ne pas déranger Dagda, même s'il aurait pu dormir dans n'importe quelle condition. Faisant face au feu, j'ai déposé le Livre de Maeve, puis j'ai appuyé ma tête contre le dossier. C'était le confort total.

J'ai décidé d'essayer de faire de la divination.

Pour commencer, j'ai abandonné une à une toutes les pensées qui tournaient dans ma tête. Bree me regardant dans la neige sur le bord de la route. Hunter, dont j'avais du mal à effacer le visage et qui, lorsque je l'apercevais, faisais monter en moi la colère ; je le voyais tout le temps, silhouette se découpant sur un ciel de plomb, les yeux verts pareils à la réflexion des champs irlandais, l'arrogance émanant de lui par vagues.

Mes paupières se sont closes après quelques palpitations. J'inspirais et expirais lentement. La tension quittait chaque muscle de mon corps. En sentant que je m'abandonnais totalement à une délicieuse concentration, j'ai pris plus pleinement conscience de ce qui m'entourait : le petit cœur de Dagda battant la chamade dans son sommeil, la joie délirante du feu consumant le bois.

J'ai ouvert les yeux.

Le feu s'était transformé en miroir.

Là, dans les flammes, j'ai vu mon propre visage qui me regardait. Mes longs cheveux bruns et le petit chat sur mes genoux.

Que veux-tu savoir ? m'a chuchoté le feu d'une voix râpeuse, sifflante, séduisante, quoique fugace, qui s'est éteinte en spirales de fumée âcre.

J'ai répondu : *Je ne comprends rien*. Mon visage était serein, mais ma réponse silencieuse hurlait ma frustration. *Je ne comprends absolument rien*.

Puis un rideau de flammes a été tiré dans la cheminée. J'ai vu Cal marchant dans un champ de blé aussi doré que ses yeux. Il a levé les bras, beau comme un dieu, et c'était comme s'il me faisait don du champ entier. Puis, Hunter et Sky sont arrivés derrière lui, main dans la main. Leur élégance blême et exsangue était belle à sa manière, mais soudain, j'ai senti un grand danger me menacer. J'ai fermé les yeux, comme pour effacer cette vision.

Quand je les ai rouverts, je me suis vue marchant dans une forêt si dense, que jamais un seul rayon de lumière ne venait y réchauffer la terre. Nu-pieds, je ne faisais pas le moindre bruit sur les feuilles en décomposition. Très vite, j'ai aperçu des silhouettes cachées parmi les arbres. L'une d'elles était Sky, encore une fois ; elle s'est retournée et m'a souri, ses cheveux blond platine formant autour de sa tête une aura brillante comme celle des anges. Puis elle s'est tournée vers la personne qui se tenait derrière elle : c'était Raven, vêtue de noir de pied en cap. Lorsque Sky s'est penchée pour embrasser Raven tendrement, j'ai battu des paupières tant ma surprise était grande.

Une multitude d'images sans queue ni tête flottaient devant mes yeux, glissant sur ma conscience les unes après les autres, difficiles à suivre. Robbie embrassant Bree… mes parents me regardant m'éloigner, le visage baigné de larmes… tante Eileen tenant un bébé dans ses bras.

Et alors, comme si c'était la fin du film et qu'une nouvelle bobine commençait à se dérouler, j'ai vu une petite maison de bardeaux blancs, érigée dans une petite éclaircie à travers les arbres. Les rideaux flottaient aux fenêtres ouvertes. Une haie soignée de houx et de chrysanthèmes entourait le parterre avant.

Dehors, sur un des côtés de la maison, se tenait Maeve Riordan, ma mère biologique.

J'ai retenu mon souffle. Je me souvenais d'elle à cause d'une autre vision que j'avais eue, une vision où elle me tenait dans ses bras lorsque j'étais bébé. Elle souriait et me faisait signe, l'air jeune et timorée dans ses vêtements à la mode des années 1980. Derrière elle s'étalait un grand carré d'herbes et de légumes, débordant de santé. Elle s'est retournée et s'est dirigée vers la maison. Je l'ai suivie sur le côté, où un passage étroit séparait la maison du terrain. Se retournant pour me faire face de nouveau, elle s'est agenouillée et a pointé du doigt le dessous de la maison.

Je nageais dans la confusion. Qu'est-ce que c'était ? Puis un téléphone s'est mis à sonner au loin. J'essayais de rester concentrée, mais la scène a commencé à s'estomper, et la dernière image que j'ai aperçue était celle de ma mère biologique, jeune et mignonne comme ce n'est pas possible, qui m'envoyait la main.

J'ai cligné des yeux, respirant par à-coups.

J'entendais toujours la sonnerie d'un téléphone. Que se passait-il donc ? De longues secondes se sont écoulées avant que je me rende compte que c'était *notre* téléphone, pas un téléphone dans ma vision. À ce moment-là, toutes les images avaient disparu. J'étais seule chez moi, et quelqu'un essayait de me joindre.

15

La présence

4 septembre 1998

Oncle Beck m'a frappé hier soir. Aujourd'hui, j'ai un œil au beurre noir et la lèvre fendue. C'est impressionnant à voir, et je dirai aux gens que c'est arrivé au moment où je défendais ce qui reste de l'honneur d'Athar.

Il y a deux ans, à l'aube du jour suivant mon initiation, oncle Beck m'a dit pourquoi maman et papa avaient disparu. Comment maman avait vu approcher le nuage noir en pratiquant la divination, et comment cela avait failli la tuer, là, pendant la vision. Et comment, aussitôt après qu'ils se sont enfuis et qu'ils sont allés se cacher, leur cercle avait été balayé de la carte. Je me rappelle toutes les sorcières du cercle : ils étaient tous comme des tantes et des oncles pour moi. Ils étaient morts, et Linden, Alwyn et moi étions venus vivre avec Beck, Shelagh, Athar, Maris et Siobhan.

Depuis, j'ai essayé de découvrir ce qu'était cette vague noire, la force maléfique qui avait détruit le cercle de mes parents et les avait poussés à rester cachés. Je sais que cela a quelque chose à voir avec les Woodbane. Papa est — où était — un Woodbane. La dernière fois que je suis allé à Londres, j'ai fait toutes les librairies qui vendent des livres sur l'occultisme. J'ai visité le cercle de Morath, où sont conservés des tas de manuscrits anciens. Pendant deux ans, j'ai lu et mené mes recherches. Finalement, hier soir, Linden et moi allions essayer de faire appel au côté obscur, pour trouver des renseignements. Depuis l'initiation de Linden, le mois dernier, il m'a harcelé pour que je lui permette de m'aider et il a fallu que j'accepte, car mes parents étaient aussi les siens. Dans deux ans, quand Alwyn aura été initiée, elle voudra peut-être travailler avec nous. Je ne sais pas.

De toute façon, oncle Beck nous a trouvés dans le marais, à un kilomètre de la maison. Nous n'étions pas rendus très loin quand notre oncle est arrivé en trombe, l'air terrible et fulminant. Il a brisé notre cercle, s'est rué sur nos chandelles et notre feu à coups de pied, puis a fait tomber l'athamé que je tenais entre mes mains. Il était tellement furieux qu'il m'a soulevé par le collet, comme si j'étais un chien, comme si je n'avais pas 16 ans et que je n'étais pas aussi grand que lui.

Vous voulez invoquer le côté obscur? a-t-il rugi, tandis que Linden se levait d'un bond. Espèce de bâtard! Pendant huit ans, je t'ai nourri, je t'ai enseigné tout ce que tu sais, tu as dormi sous mon toit, et te voilà en train d'en appeler à la magye noire, et de dévoyer ton jeune frère! Puis il m'a mis son poing sur la gueule et je me suis retrouvé par terre, telle une marionnette désarticulée. Le bonhomme a un poing pareil à une masse, en plus dur.

Nous nous sommes querellés, roués de coups et, à la fin, il a compris ce que je voulais; j'ai aussi compris qu'il aurait préféré me tuer plutôt que de me laisser faire et que, si j'entraînais Linden une seule fois encore, il me faudrait aller vivre ailleurs. C'est un bon bougre, mon oncle, et une bonne sorcière, même si nous nous affrontons souvent. Maman est sa sœur, et je sais maintenant qu'il désire autant que moi redresser les torts qu'on lui a faits. La différence, c'est que contrairement à Beck, j'étais prêt à dépasser la limite permise pour y arriver.

— Giomanach

— Allô ? ai-je dit, m'apercevant soudain que je n'avais aucune idée de qui était au bout du fil, comme j'en avais l'habitude.

Silence. J'ai répété :

— Allô ?

Clic. Et signal sonore.

OK, je savais, bien sûr, qu'il arrive souvent que les gens fassent de mauvais numéros. Mais pour une raison ou une autre, peut-être parce que j'étais toujours prise par des images, des émotions et des sensations dues au feu, cet appel silencieux me troublait. Tous les films d'épouvante que j'avais vus dans ma vie revenaient me hanter : *Frisson, Halloween, l'Exorciste, Attraction fatale, Le Projet Blair.* Ma seule pensée se résumait à ceci : quelqu'un voulait savoir si j'étais chez moi. Et j'y étais. Seule.

J'ai composé *** 69**. Rien. Finalement, une voix féminine informatisée m'a dit que le numéro que j'essayais de joindre était confidentiel.

Tendue, j'ai déposé le combiné violemment. Puis, j'ai fait le tour de la maison pour verrouiller la porte avant et la porte arrière, la porte du sous-sol, de même que les fenêtres, qui n'avaient jamais été verrouillées jusque-là, à ce que je sache. Me comportais-je de façon stupide ? Peu importait. Mieux valait être stupide et en sécurité, qu'intelligente et morte. Ensuite, j'ai allumé toutes les lumières extérieures.

J'ignorais pourquoi j'avais si peur, mais mon premier sentiment de danger se changeait rapidement en terreur pure. J'ai donc ressorti ma bonne vieille batte de baseball du placard et j'ai ramassé Dagda. Je me suis précipitée dans ma chambre à l'étage, en surveillant mes arrières. Peut-être étaient-ce des séquelles de l'accident, mais j'avais les mains moites et le souffle court. J'ai verrouillé la porte de ma chambre, puis celle menant de la salle de bain à la chambre de Mary K.

Je me suis assise sur mon lit, serrant et desserrant les poings. Je pensais seulement : *Cal, Cal, aide-moi. J'ai besoin de toi. Accours, je t'en prie.*

J'ai envoyé ce message de sorcière dans la nuit. Cal allait le capter. Cal allait me sauver.

Mais les minutes s'écoulaient, et il n'arrivait pas. Il n'appelait même pas pour dire qu'il était en route. J'ai pensé lui téléphoner, mais je me suis rappelé qu'il avait dit qu'ils ne répondaient pas au téléphone pendant le rituel du cercle.

Je me demandais désespérément s'il avait bien reçu mon message ? Où était-il ?

J'essayais de me calmer en me disant que maman et papa rentreraient bientôt, ainsi que Mary K. De toute façon, c'était seulement un appel téléphonique. Un mauvais numéro. Ou peut-être que Bree appelait pour demander pardon, mais qu'elle avait manqué de courage.

Mais pourquoi le numéro de Bree aurait-il été confidentiel ? Cela aurait aussi bien pu être n'importe qui : par exemple, une farce concoctée par un écolier boutonneux que sa maman avait attrapé juste avant qu'il puisse prononcer un mot ; ou encore un appel de télémarketing.

Je m'intimais de me calmer. Calme-toi. Respire.

Un léger picotement sous la peau m'a forcée à me redresser. Mes sens en alerte, je cherchais de toutes mes forces. Puis, j'ai su ce que c'était. Quelqu'un approchait de la propriété. La peur suintait de moi comme une lave en fusion.

— Attends ici, ai-je chuchoté bêtement à l'oreille de Dagda.

J'ai rampé sans bruit jusqu'à ma fenêtre et jeté un œil sur le terrain. Au même moment, toutes les lumières extérieures se sont éteintes. *Merde.* Qui avait fait ça ?

Je distinguais les feuilles des buissons, l'ombre en plongée d'une chouette, les glaçons qui pendaient à la clôture.

C'est alors que je les ai aperçues : deux silhouettes sombres.

J'ai voulu me servir de ma vision magyque pour distinguer leurs traits, mais pour une raison ou une autre, je n'arrivais pas à voir leurs visages clairement. Mais peu importait. Pendant un instant, les nuages se sont dissipés et ont laissé apparaître la presque demi-lune. Sa lumière se reflétant sur des cheveux pâles et brillants, j'ai su qui était là : Sky Eventide. La personne qui l'accompagnait portait une cagoule en tricot noir et était trop grande pour être Bree ou Raven. Hunter. J'étais sûre que c'était Hunter.

Où était donc Cal ?

Accroupie près de la fenêtre, je les ai vus disparaître dans l'ombre de la maison. Quand je les ai perdus de vue, j'ai fermé les yeux pour tâcher de les suivre à l'aide de mes sens. Je sentais qu'ils se déplaçaient lentement dans le périmètre de la maison, s'arrêtant ici et là. Allaient-ils tenter d'entrer ? J'ai resserré ma prise sur ma batte, même si je savais qu'elle ne me serait d'aucune utilité contre des sorcières en pleine possession de leurs pouvoirs. Sky et Hunter étaient deux sorcières de sang.

Que voulaient-ils ? Que faisaient-ils ?

Et soudain, j'ai compris. Bien sûr. Ils jetaient un sort sur ma maison, sur moi. Je me rappelais avoir lu comment Maeve et sa mère, Mackenna Riordan, avaient jeté des sorts sur les gens. Elles avaient souvent eu à entourer une maison, une personne ou un lieu. Entourer une chose de magye, c'est la transformer.

Sky et Hunter m'entouraient, moi.

Ils encerclaient ma maison, et je ne pouvais pas les arrêter ; je n'avais pas la moindre idée de ce qu'ils étaient en train de faire. C'était sans doute l'un d'eux qui avait appelé un peu plus tôt, pour s'assurer que j'étais chez moi. Et peut-être avaient-ils bloqué mon appel à Cal. Il était fort possible qu'il n'arrive jamais...

J'ai regardé Dagda pour voir s'il était nerveux ou chaviré, si ses sens avaient capté des vibrations de danger et de magye.

Il dormait : bouche minuscule entrouverte, paupières closes, petite cage thoracique se soulevant et retombant au rythme des respirations lentes du sommeil. Et voilà pour le pouvoir des animaux ! Prenant un air mauvais, j'ai regardé encore une fois par la fenêtre. Les sombres silhouettes, toujours présentes, n'étaient plus visibles à mes yeux. Me sentant terriblement seule, je me suis assise par terre et j'ai attendu. C'était tout ce que je pouvais faire.

Par trois fois, Hunter et Sky ont fait le tour de la maison. Je n'entendais ni ne voyais rien, mais je les sentais. Ils étaient là.

Environ une demi-heure plus tard, ils sont repartis. Je les ai sentis partir, J'ai senti qu'is refermaient un cercle derrière eux... Je les ai sentis envoyer un dernier rayon de magye en direction de la maison et dans ma direction. Peu de temps après, j'ai entendu le ronron sourd d'un moteur qui tournait le coin de la rue. Les lumières extérieures se sont rallumées. Mais il n'était pas question que je sorte pour voir ce qu'ils avaient fait. Non. Je ne bougerais pas.

Avec ma batte, je suis descendue au rez-de-chaussée et j'ai regardé la télévision jusqu'à ce que le chauffeur de la remorqueuse arrive avec Das Boot. Lorsque maman et papa sont rentrés, quelques minutes plus tard, j'ai couru dans ma chambre avant qu'ils ne franchissent le seuil. J'étais trop secouée pour me comporter devant eux comme si de rien n'était.

Cal ne s'est jamais pointé.

— Salut chérie! a lancé maman quand je suis entrée dans la cuisine le lendemain matin. Bien dormi?

— Ouais… ai-je répondu en m'approchant du frigo pour y prendre un soda.

Mais je mentais. La vérité, c'était que je n'avais pas fermé l'œil de la nuit. J'avais sommeillé par intermittence et fait des rêves de feu, hantée par les silhouettes de Sky et de l'autre intrus autour de la maison. J'avais fini par renoncer à dormir. L'horloge indiquait seulement 8 h 30. Je voulais appeler Cal, mais il était trop tôt, surtout pour un samedi matin.

— Avez-vous prévu quelque chose pour la journée ? a demandé papa, en repliant son journal.

— Je vais à Northgate Mall avec Jaycee, a dit Mary K., toujours en pyjama. C'est le début des soldes avant l'Action de grâces.

— Je dois me préparer pour demain, a dit maman en me faisant un sourire entendu. Morgan, veux-tu un gâteau à la glace cette année ?

Je me suis soudain rappelé que c'était mon anniversaire le lendemain. Jusqu'à cette année, j'avais toujours eu très hâte à mon anniversaire, que j'anticipais des mois à l'avance. Bien sûr, jusqu'à cette année, je ne m'étais jamais doutée que j'étais une sorcière de sang adoptée, du clan des Woodbane. Pas plus que je n'avais été traquée par d'autres sorcières. Les choses avaient changé un brin.

J'ai fait signe que oui en avalant une gorgée de soda.

— Gâteau au chocolat, garni de glace aux pépites de menthe, ai-je précisé, m'efforçant de sourire.

— Et qu'aimerais-tu manger pour souper demain soir ? a demandé maman en commençant à faire sa liste.

— Côtelettes d'agneau, gelée à la menthe, pommes de terre rôties, petits pois, salade, ai-je énuméré.

Le même repas d'anniversaire que les années précédentes. Quelque chose de réconfortant. C'était mon chez-moi, ma famille, et nous allions célébrer mon anniversaire, comme toujours.

— Seras-tu occupée ce soir ? m'a ensuite demandé maman, en détournant les yeux.

Elle savait qu'on avait l'habitude de réunir notre cercle le samedi soir.

— Je vois Cal.

Elle a hoché la tête et, heureusement, elle n'a pas insisté.

Aussitôt habillée, je suis sortie pour faire le tour du terrain, mais je n'ai pas ressenti les effets de la magye. Ce qui, évidemment, pouvait fort bien faire partie du sortilège qu'on m'avait jeté. Lentement, j'ai fait un second tour de la maison. Je n'ai vu aucun signe de quoi que ce soit : pas de X tracés à la bombe sur la maison, pas d'animal mort suspendu à un arbre… Mais là encore, je savais que les signes seraient infiniment plus subtils que cela.

Assez bizarrement, les traces de leurs pas n'étaient pas visibles sur le sol enneigé, même si pas un flocon n'était tombé depuis leur passage. J'ai cherché et cherché, mais je n'ai découvert aucune trace prouvant que quelqu'un avait arpenté notre parterre, à part moi, à l'instant même. J'étais sceptique. Tout cela n'avait-il été qu'une illusion ? Une partie de ma divination ? Dans quelle mesure pouvais-je me fier à mes perceptions ? Pourtant, je me rappelais les images que j'avais vues – si nettement –, ma vision, les bruits et les odeurs qui avaient accompagné ma divination par le feu.

Je me rappelais surtout Maeve, souriant et pointant du doigt le dessous de sa maison.

Maeve avait vécu à Meshomah Falls, à deux heures d'ici. J'ai regardé ma montre, puis je suis rentrée pour appeler Cal.

– Qu'est-il arrivé à ta voiture ? a demandé Robbie, une demi-heure plus tard.

Il était assis sur le siège du passager ; j'étais allée le prendre chez lui. Heureusement, Das Boot fonctionnait encore, malgré que le phare droit ait été enfoncé et qu'une énorme fissure coure sur le pare-chocs avant. Cal n'était pas chez lui quand j'avais appelé. Selene m'avait dit qu'il était parti faire des courses, et elle ignorait quand il rentrerait. Cela m'avait un peu calmée de parler à Selene. J'ai eu envie de lui demander s'il avait reçu mon message de sorcière, mais maman était tout près et je ne voulais pas aborder ce sujet devant elle. Je poserais la question à Cal plus tard.

Heureusement, Robbie était chez lui et il constituait un bon second choix pour la balade en voiture que j'avais prévu faire.

— J'ai pris le fossé hier soir, ai-je répondu en faisant la grimace. J'ai glissé sur une plaque de glace.

Je n'ai pas mentionné les phares qui me suivaient. C'était un détail dont je parlerais seulement à Cal. Quoi qu'il se passe, je ne voulais pas entraîner Robbie dans mes histoires.

— Merde, a dit Robbie. T'es-tu fait mal?

— Non. Mais il faut que je fasse réparer mes phares.

Robbie a déplié une carte et l'a étalée sur le tableau de bord. Le temps se dégageait rapidement et j'espérais voir poindre un rayon de soleil sous peu. Il faisait encore froid, mais la neige et la glace fondaient lentement; les rues étaient ruisselantes, l'eau s'écoulant à mesure dans les caniveaux.

— Cherche une ville appelée Meshomah Falls. Elle devrait se trouver au nord, juste en haut de l'Hudson, ai-je précisé en m'engageant sur la bretelle menant à l'autoroute. À environ deux heures, deux heures et demie d'ici.

— Oh, OK, a-t-il répondu, le doigt sur la carte. Je la vois. Ouais, prends la Route 9 Nord jusqu'à Hookbridge Falls.

Après un bref arrêt pour faire le plein d'essence et d'amuse-gueules, nous avons pris la route. Nous partions toujours en balade, Bree et moi : des petites virées d'une journée vers des centres commerciaux ou des coins charmants pour faire de la randonnée ou rencontrer des colonies d'artistes. Nous nous étions senties si libres, si impossibles à arrêter. Mais j'essayais de ne pas ressasser ces souvenirs qui me faisaient souffrir aujourd'hui.

— As-tu enfin parlé à Bree ? ai-je demandé à Robbie, incapable de me la sortir de la tête. Lui as-tu parlé de ce que tu éprouves ?

— J'ai essayé, mais les mots me sont restés pris dans la gorge. Je suis un peu lâche…

— Non, ce n'est pas ça. Elle peut être difficile d'approche.

— Tu sais, Bree aussi prend des nouvelles de toi.

— Qu'est-ce que tu veux dire ?

— Je veux dire que tu t'intéresses toujours à elle… Eh bien, elle aussi, elle s'intéresse à toi. En fait, elle ne dit jamais rien de gentil à ton sujet, vous dites toutes les deux des trucs méchants sur l'autre, mais même un idiot pourrait deviner que vous vous manquez autant l'une que l'autre.

Je regardais dehors, les traits un peu crispés.

— Je pensais seulement que tu devais le savoir, a-t-il ajouté.

Nous n'avons plus dit un seul mot pendant 95 kilomètres, jusqu'à une pancarte indiquant la sortie de Hookbridge Falls. Le ciel s'était enfin dégagé ; il était pur et bleu comme il ne l'avait pas été depuis des semaines. La chaleur du soleil sur mon visage me faisait du bien à l'âme. J'avais l'impression de vivre une vraie aventure.

Robbie a consulté la carte.

— On sort ici et on prend à l'est sur Pedersen, ce qui nous mènera tout droit dans Meshomah Falls.

— OK.

Quelques minutes après avoir quitté l'autoroute, nous avons vu un écriteau annonçant Meshomah Falls, New York.

Un frisson a couru le long de ma colonne vertébrale. C'était le lieu de ma naissance.

Je roulais lentement sur la rue principale, en regardant les bâtiments. Sans être aussi vieille ou aussi victorienne, Meshomah Falls ressemblait beaucoup à Widow's Vale. C'était une ville charmante, et je comprenais pourquoi Maeve et Angus avaient décidé de s'y établir. J'ai pris une rue transversale au hasard, ralentissant encore davantage pour bien voir chaque maison. À côté de moi, Robbie tapait des doigts au rythme de la radio.

— Alors, quand vas-tu me dire ce que nous faisons ici ?

— Euh…

Je ne savais pas quoi répondre. J'avais sans doute pensé prétexter une simple balade de plaisir, une occasion de sortir de la ville, de faire autre chose. Mais Robbie me connaissait trop bien.

— Je te le dirai plus tard, ai-je murmuré.

Je me sentais peu sûre de moi et vulnérable. Lui raconter une partie de l'histoire équivaudrait à tout lui dire ; il me fallait d'abord m'habituer moi-même à tout ceci.

— Es-tu déjà venue ici ?

J'ai fait signe que non. La plupart des maisons étaient très modestes, mais il n'y en avait pas une que j'aurais pu immédiatement relier à ma vision. Plus nous avancions, moins il y avait de maisons et plus elles étaient éloignées l'une de l'autre. Nous nous approchions de la campagne. Je commençais à me demander ce que je faisais là. Comment avais-je pu m'imaginer que je reconnaîtrais la maison de Maeve ? Et si par miracle je la retrouvais, qu'est-ce que je pourrais faire ? C'était une idée stupide… et puis…

Elle était là.

J'ai freiné aussi sec. Robbie m'a regardée, l'air de n'y rien comprendre. Mais je n'y ai pas fait attention. Elle était là, devant mes yeux, la maison qui m'était apparue dans ma vision, la maison de ma mère biologique.

16

La cachette

12 janvier 1999

J'ai été malade, il paraît.

Tante Shelagh dit que je suis resté inconscient pendant six jours. Elle m'a dit que je délirais et que je faisais beaucoup de fièvre. Je me sens comme la mort en personne. Je ne me rappelle même pas ce qui a pu m'arriver. Et personne ne veut rien me dire. Je n'y comprends rien.

Où est Linden? Je veux voir mon frère. Ce matin, à mon réveil, il y avait huit sorcières de Vinneag autour de mon lit, affairées à des rituels de guérison. J'ai entendu Athar et Alwyn qui pleuraient dans l'antichambre. Mais lorsque j'ai demandé si elles pouvaient venir me voir, les sorcières de Vinneag ont échangé des regards et ont fait signe que non. Pourquoi? Suis-je si mal en point? Ou s'agit-il d'autre chose? Qu'est-ce qui se passe? Il faut que je sache, mais personne ne veut rien me dire, et je suis aussi faible qu'un os vidé de sa moelle.

— Giomanach

La maison était à droite de la route et en me penchant pour voir par la vitre de Robbie, j'ai senti un petit vent froid me balayer le visage. Je me suis garée juste en face.

Les murs n'étaient plus blancs, mais peints d'une couleur café pâle, avec des accents rouge sombre. Le jardin avait disparu, tout comme le gros bosquet d'herbes et de légumes sur le côté. À la place, d'énormes rhododendrons dissimulaient les fenêtres du rez-de-chaussée.

Je suis restée là, assise en silence, pour m'imprégner de cette vision. C'était elle. C'était la maison de Maeve ; la maison où j'avais vécu les sept premiers mois de ma vie. Pas de voiture dans l'allée, aucun signe de vie à l'intérieur. Je ne savais pas quoi faire. Quelques minutes plus tard, j'ai levé les yeux sur Robbie et j'ai pris une grande respiration avant de dire :

— J'ai un secret à te confier.

Il a hoché la tête, le visage sombre.

— Je suis une sorcière de sang, comme Cal l'a dit il y a deux semaines. Mais mes parents ne le sont pas. J'ai été adoptée.

Robbie a écarquillé les yeux, mais il n'a rien dit.

— J'avais environ huit mois lorsque j'ai été adoptée. Ma mère biologique était une sorcière de sang irlandaise. Elle s'appelait Maeve Riordan ; elle a vécu dans cette maison. Son cercle avait été décimé en Irlande. Elle s'est enfuie en Amérique avec mon père biologique, et ils se sont installés ici. En fuyant, ils ont juré de ne plus jamais faire de magye.

J'ai repris mon souffle. Toute cette histoire avait l'air du film de la semaine. Un mauvais film. Mais Robbie hochait la tête pour m'encourager à continuer.

— De toute façon, ai-je repris, ils m'ont eue, puis quelque chose s'est produit — je ne sais pas quoi — et ma mère m'a donnée en adoption. Aussitôt après, ma mère et mon père ont été enfermés dans une grange et brûlés à mort.

Robbie a cligné des yeux. Il avait légèrement pâli et, se frottant le menton, il a marmonné :

— Ça alors. Et qui était ton père ?

— Il s'appelait Angus Bramson. Il était sorcière lui aussi, du même cercle irlandais. Je crois qu'ils n'étaient pas mariés. Voilà pourquoi je suis si forte dans la Wicca, pourquoi ce sort que je t'ai jeté a fonctionné, pourquoi je canalise tant d'énergie durant nos rituels. C'est parce que je viens d'une lignée de sorcières vieille de centaines de milliers d'années, ai-je ajouté en lâchant un soupir.

Robbie me regardait, éberlué.

— C'est époustouflant, a-t-il fini par marmonner.

— Tu parles.

— Je devine que les choses n'ont pas dû être faciles chez vous ces derniers temps, a-t-il ajouté avec un sourire compatissant.

J'ai ri.

— Ouais, si on veut. Tout le monde était bouleversé. Vois-tu, mes parents ne m'en avaient jamais parlé. En 16 ans, ils ne m'avaient jamais dit que j'avais été adoptée.

Et toute ma parenté et tous leurs amis étaient au courant. J'étais... vraiment en colère.

— Je n'ai pas de mal à le croire, a murmuré mon ami.

— Ils savaient comment mes parents biologiques étaient morts, que c'était à cause de la sorcellerie, et ils sont très mécontents que je m'intéresse à la Wicca, parce que tout cela leur fait très peur. Ils ne voudraient pas qu'il m'arrive quelque chose.

Robbie se mordillait la lèvre, l'air inquiet.

— Personne ne sait pour quelle raison tes parents biologiques sont morts ? Ils ont été assassinés, c'est bien ça ? Je veux dire, il ne s'agissait pas d'un suicide, ou d'un rituel qui aurait mal tourné ?

— Non. Il paraît que la porte de la grange avait été barrée de l'extérieur. Mais ils devaient craindre quelque chose, car ils m'ont donnée en adoption juste avant les événements. Je n'ai cependant pas découvert pourquoi cela est arrivé ; ni qui aurait pu faire cela. J'ai le Livre des ombres de

Maeve ; elle écrit qu'après leur arrivée en Amérique, ils n'ont plus jamais pratiqué la magye...

— Comment as-tu obtenu le Livre des ombres de ta mère ?

— C'est une longue histoire, ai-je répondu en soupirant de plus belle, mais Selene Belltower avait ce livre en sa possession, et je l'ai découvert à cause d'une suite de coïncidences.

Robbie a haussé les sourcils.

— Je croyais que les coïncidences n'existaient pas.

Je l'ai regardé, étonnée, en pensant : *Tu as absolument raison.*

— Alors, dis-moi ce que nous faisons ici ?

J'ai hésité.

— Hier soir, j'ai fait un rêve... je veux dire, j'ai eu une vision. En fait, hier, j'ai pratiqué la divination par le feu.

— Tu as fait de la divination ? s'est exclamé Robbie en se redressant sur son siège et en plissant le front. Es-tu en train de me dire que tu as essayé d'obtenir des renseignements par la divination, genre information magyque ?

— Oui, ai-je avoué, baissant les yeux. Je sais, tu te dis que je fais des choses que je ne devrais pas faire si tôt. Mais je crois que c'est permis. Il ne s'agit pas d'un envoûtement ou d'un charme.

Robbie se taisait.

J'ai secoué la tête et jeté un autre coup d'œil par la vitre.

— Bref, je regardais le feu hier soir, et j'ai vu toutes sortes d'images, de scènes et de trucs bizarres. Mais l'image la plus réaliste, la plus claire, c'était cette maison. J'ai vu Maeve dehors, pointant du doigt le dessous de la maison. Elle pointait le doigt en souriant. Comme si elle voulait me montrer quelque chose qu'elle aurait caché sous la maison…

— Attends une seconde, m'a coupée Robbie. Récapitulons. Tu as eu une vision ; à présent nous sommes là, et tu voudrais ramper sous cette maison ?

J'avais presque envie de rire. Cela ne sonnait pas bizarre ; ça sonnait parfaitement insensé.

— Eh bien, vu comme ça…

Il a secoué la tête, mais il souriait aussi.

— Es-tu certaine que c'est cette maison ?

J'ai fait signe que oui.

Il se taisait.

— Crois-tu que je suis folle de venir jusqu'ici ? Crois-tu que nous devrions faire demi-tour et rentrer chez nous ?

— Non, a-t-il fini par dire après quelques secondes d'hésitation. Si tu as eu cette vision en faisant de la divination, je crois que tu ferais bien d'aller voir. Je veux dire, si tu veux vraiment ramper sous la maison… Ou voudrais-tu que j'y aille moi-même ?

Je lui ai tapoté le bras en souriant.

— Merci. C'est très gentil. Mais non. Je crois que c'est à moi d'y aller. Même si je n'ai pas la moindre idée de ce que je cherche.

Intrigué, Robbie regardait la maison.

— As-tu une lampe de poche ?

— Bien sûr que non, ai-je dit avec un petit sourire narquois. Ça voudrait dire que j'étais trop bien préparée, non ?

Il a ri. Je suis sortie de la voiture et j'ai attaché ma veste. J'ai eu un moment d'hésitation avant de soulever le loquet de la barrière et de faire le premier pas. J'ai chuchoté, haletante : *Je suis invisible, je suis invisible, je suis invisible,* au cas où quelqu'un, dans une des maisons voisines, aurait observé la scène. C'était un truc dont Cal m'avait parlé, mais je ne l'avais encore jamais essayé. J'espérais que ça marche.

Sur le côté gauche de la maison, passé la touffe des rhododendrons, j'ai trouvé l'endroit où Maeve se tenait dans ma vision. Il y avait une ouverture entre les fondations de brique et les solives du plancher. L'ouverture mesurait à peine un demi-mètre de hauteur. J'ai jeté un œil en direction de la voiture. Robbie était appuyé à l'aile, au cas où il devrait me venir en aide rapidement. Je lui ai souri en levant le pouce et il m'a rendu mon sourire, pour m'encourager. J'étais chanceuse d'avoir un si bon ami.

Je me suis penchée et j'ai regardé sous la maison : il y faisait un noir d'encre. Mon cœur battait à tout rompre, mais mes sens ne captaient aucune présence au-dessus ou autour de moi. Pour ce que j'en savais, je ne trouverais que des corps morts et des vieux os. Ou des rats. Je mourrais de peur si j'arrivais face à face avec un rat. Je m'imaginais faisant des pieds et des mains pour sortir de ce trou à la belle épouvante en hurlant. Mais ma vision magique allait me guider. J'ai commencé à avancer sur les mains et les genoux. Une fois sous la maison, je me suis arrêtée un moment pour donner à mes yeux le temps de s'habituer à la noirceur.

Il y avait des tas de déchets : de la vieille mousse isolante, un vieil évier incrusté de saleté, de vieux tuyaux et des bouts de feuilles de métal. Avançant prudemment, des yeux tout le tour de la tête, je me suis frayé un chemin dans ce dédale, essayant de me faire une idée de ce que je cherchais. Je sentais l'humidité froide à travers mes jeans. J'ai reniflé. L'endroit était froid et humide. Humide et moisi.

De nouveau, des questions se bousculaient dans ma tête. Qu'est-ce que je faisais là ? Pourquoi Maeve avait-elle voulu que je vienne ici ? Réfléchis, réfléchis ! Cela avait-il quelque chose à voir avec la maison elle-même ? J'ai levé les yeux pour voir si des runes ou des sigils avaient été tracés sur les solives du plancher. Le bois était vieux, sale et noirci, et je n'ai rien vu. Je regardais d'un côté, puis de l'autre, et je commençais à me sentir incroyablement stupide…

Attends. Il y avait quelque chose… j'ai battu des paupières rapidement. À cinq mètres environ, à côté d'une pile de briques, il y avait un objet. Un truc magyque. Quoi que cela puisse être, j'avais senti sa présence avant de l'avoir sous les eux. J'ai rampé à plat ventre sous les tuyaux d'aqueduc et les fils de téléphone. J'aurais l'air du diable en sortant de là : mes cheveux traînaient dans la terre humide, et je me maudissais de ne pas les avoir attachés.

Finalement, j'ai pu me remettre à quatre pattes et avancer normalement. J'ai reniflé et me suis essuyé le nez sur ma manche. Là ! Coincé entre deux solives, il y avait un coffret. Pour l'atteindre, il fallait que j'allonge les bras autour d'une colonne, et les solives m'entravaient.

J'essayais d'atteindre le coffret. L'air, tout autour, me paraissait épais comme du Jell-O mou. En serrant les dents, j'ai essayé de l'extirper de la terre. Mais il refusait de bouger. Dans cette position inconfortable, je n'arrivais même pas à le soulever suffisamment pour exercer un effet de levier. Une fois encore, j'ai tiré sur le coffret d'un coup sec, m'égratignant les doigts sur sa surface rugueuse. En vain. Je n'y arrivais pas.

J'avais envie de hurler. J'étais là, à quatre pattes dans la boue, sous une maison étrangère, *attirée* ici, et impuissante. Penchée en avant, je regardais le coffret en me concentrant très fort. Là, gravées sur le couvercle et quasi invisibles à cause des années et de la poussière accumulée, les initiales M.R. Maeve Riordan. Je les distinguais aussi clairement que si je les avais vues à la lumière du jour.

Ma respiration s'accélérait. C'était bien ça. Voilà pourquoi ma mère m'avait envoyée ici. Ce coffret me revenait ; ce coffret, qui était demeuré caché pendant presque 17 ans.

Soudain, un souvenir m'est revenu en tête : un jour, il n'y avait pas si longtemps, nous venions tout juste de découvrir la Wicca ; une feuille était tombée d'un arbre et je l'avais délibérément dirigée sur la tête de Raven, par la force de la pensée. Ce n'était rien de plus qu'un caprice, un geste de défiance, parce qu'elle avait été cruelle envers moi. Mais aujourd'hui, ce geste prenait un tout autre sens. Si j'avais pu diriger la chute d'une feuille, pourrais-je faire bouger un objet plus lourd ?

J'ai fermé les yeux, pour me concentrer au maximum. M'étirant encore une fois de tout mon long, j'ai touché le coffret poussiéreux du bout des doigts. J'avais l'esprit vide, toute pensée s'étant dissipée comme l'eau s'écoule dans un drain. Une seule idée m'habitait encore : ce qui avait un jour appartenu à ma mère biologique m'appartenait désormais. Ce coffret était à moi, et je l'aurais.

Il allait sauté jusque dans mes mains.

Puis j'ai ouvert les yeux, un sourire aux lèvres. J'avais réussi ! Par la Déesse, j'avais réussi ! Coinçant le coffret sous mon bras, je suis ressortie de là aussi vite que j'ai pu. Dehors, la lumière du jour me semblait plus brillante que jamais et l'air était trop froid. J'ai cligné des yeux avant de me redresser, les muscles endoloris. Je me suis secoué les pieds et j'ai essuyé mes vêtements du mieux que je pouvais. Puis, je suis repartie sans perdre de temps.

Un homme d'âge moyen s'avançait sur le trottoir menant à la maison. Il traînait derrière lui un gros basset en laisse. Lorsqu'il m'a aperçue, venant de derrière la maison, il a ralenti et s'est arrêté en me regardant d'un œil suspicieux.

Je suis restée figée un moment, le cœur battant. *Je suis invisible, je suis invisible, je suis invisible* : je hurlais cette pensée avec toute la force dont j'étais capable.

Au bout d'un moment, son regard a semblé se perdre dans le vide et il a repris sa marche.

Ouah ! j'ai senti une bouffée d'allégresse m'envahir. Mes pouvoirs étaient de plus en plus impressionnants !

De l'angle privilégié où il se trouvait, appuyé à Das Boot, Robbie avait tout remarqué. Il a ouvert la portière arrière sans dire un mot et j'ai déposé le coffret sur le siège avec mille précautions. Puis, il s'est glissé derrière le volant, et moi sur le siège du passager, et nous sommes repartis. Par-dessus mon épaule, j'ai regardé la maison rapetisser jusqu'à ce qu'elle disparaisse de ma vue, au premier détour.

17

Le trésor

14 janvier 1999

Je peux m'asseoir. Aujourd'hui, j'ai avalé un peu de bouillon. Autour de moi, tout le monde marche sur la pointe des pieds ; oncle Beck me regarde avec, au fond des yeux, une froideur que je ne lui connaissais pas. Je continue de demander des nouvelles de Linden, mais personne ne me répond. Ils ont enfin laissé entrer Athar aujourd'hui ; j'ai pris sa main et lui ai posé la question, mais pour toute réponse, elle m'a jeté un regard noir et intense. Ils ont ensuite permis à Alwyn de passer me voir, mais elle n'a fait que pleurer en me serrant la main, jusqu'à ce qu'ils viennent la chercher. Je me suis rendu compte qu'elle avait presque 14 ans ; dans trois mois, elle aura son initiation.

Où est Linden ? Pourquoi n'est-il pas venu me voir ?

Toute la semaine, les membres de l'assemblée entraient et ressortaient de la maison. Un filet de peur se referme sur moi. Mais je n'ose pas nommer ce qui me fait peur. C'est trop horrible.

— Giomanach

— Qu'est-ce qu'il y a là-dedans ? a demandé Robbie après quelques minutes, en me regardant d'un drôle d'air.

J'avais des toiles d'araignée dans les cheveux, j'étais sale et je sentais le moisi et la terre.

— Je ne sais pas. Mais il y a les initiales de Maeve Riordan dessus.

— Allons chez moi. Mes parents n'y sont pas.

— Merci de conduire, ai-je dit en hochant la tête.

Le trajet du retour m'a semblé interminable. Le soleil s'est couché peu après 16 h 30, et nous avons fait la dernière moitié du chemin dans une obscurité polaire. Je mourais d'envie d'ouvrir le coffret, mais je savais qu'il fallait que je me sente en totale sécurité pour le faire. Robbie a garé Das Boot devant la minuscule maison décrépite de ses parents. D'aussi longtemps que je connaissais Robbie, ceux-ci n'avaient jamais repeint la façade, ni réparé l'allée, ni entrepris aucun des travaux de rénovation que font la majorité des propriétaires. Le parterre avant n'était plus qu'un tas de broussailles et la pelouse avait besoin d'être tondue. C'était le boulot de Robbie : il détestait ça, et ses parents n'avaient pas l'air de le remarquer.

Je n'avais jamais aimé venir chez lui, ce qui explique pourquoi nous nous étions toujours retrouvés chez Bree, notre lieu de rassemblement favori, ou chez moi, notre second choix. Il valait mieux éviter d'aller chez Robbie, et nous le savions tous. Mais pour le moment, c'était parfait.

Robbie a allumé les lumières. Le plancher était miteux, et il y avait une odeur permanente de nourriture fétide et de fumée de cigarette.

— Où sont tes parents ?

— Maman est chez sa sœur, et papa est parti à la chasse.

— Pouah ! Je me rappelle encore la fois où je suis venue et qu'un chevreuil était suspendu à l'arbre dans la cour.

Robbie a ri, et nous avons traversé la chambre de sa sœur aînée, Michelle. Elle était à l'université, et sa chambre était demeurée telle quelle, au cas où elle reviendrait à la maison. Michelle était la favorite de ses parents, et ils ne faisaient aucun effort pour le cacher. Mais Robbie ne lui en tenait pas rigueur. Michelle adorait Robbie ; ils étaient très proches tous les deux. Dans un cadre, sur sa commode, il y avait une photo de lui, une photo d'école prise l'an dernier. Il était à peine reconnaissable : il avait le visage couvert d'acné, et ses yeux disparaissaient derrière des verres épais.

Robbie a allumé une lampe. Sa chambre faisait moins de la moitié de celle de Michelle ; on aurait dit une grande penderie. Son lit simple, recouvert d'une vieille couverture mexicaine, y logeait difficilement. Calée dans un coin, une grosse commode était surmontée d'étagères qui croulaient sous le poids des livres, la plupart en format de poche et déjà lus.

– Comment va Michelle ? ai-je demandé, déposant délicatement le coffret sur son lit.

Très nerveuse, j'ai pris mon temps pour déboutonner ma veste.

– Bien. Elle croit qu'elle sera sur la liste des boursiers encore une fois.

– C'est super. Sera-t-elle à la maison pour Noël ?

Je sentais mon pouls s'accélérer, mais j'essayais de me calmer. Je me suis assise sur le lit.

– Ouais, a dit Robbie en souriant. Elle va être étonnée en me voyant.

– Oui.

– Alors, tu vas ouvrir ce truc ? a-t-il dit en s'assoyant à l'autre bout du lit.

J'ai dégluti, ne voulant pas admettre à quel point j'étais nerveuse. Et si elle contenait quelque chose d'affreux ? D'horrible, ou…

– Veux-tu que je le fasse à ta place ?

– Non, non, ai-je répondu en secouant la tête vivement. Je vais l'ouvrir.

J'ai pris le coffret. Il faisait environ 50 centimètres de long, 40 de large et

10 d'épaisseur. À l'extérieur, le métal s'effritait. Deux serrures de métal presque complètement rouillées le tenaient fermé. Robbie s'est levé et a fouillé dans un tiroir pour y dénicher un tournevis qu'il m'a tendu. Retenant mon souffle, je l'ai inséré sous le couvercle et j'ai fait sauter la boucle. Le coffret s'est ouvert avec un pop ; j'ai mis les doigts sous le couvercle et l'ai soulevé.

— Ouah ! s'est exclamé Robbie.

Bien que l'extérieur soit rouillé et usé, le temps et les éléments n'avaient fait aucun ravage à l'intérieur. L'intérieur était luisant et argenté. La première chose que j'ai vue était un athamé. Je l'ai pris. Il était lourd et avait l'air ancien : il se composait d'une lame d'argent grugée par le temps et d'un manche en ivoire aux motifs sculptés très élaborés. Des nœuds celtiques encerclaient le manche, finement ouvré, malgré son incontestable caractère artisanal. Il n'était pas de fabrication industrielle. En le retournant, j'ai vu que la lame elle-même avait été estampillée d'une rangée d'initiales, 18 paires en tout. Les toutes dernières étaient M. R. Celles juste au-dessus étaient aussi M. R. En passant mes doigts sur les initiales, j'ai dit :

— Maeve Riordan. Et Mackenna Riordan, sa mère. Ma grand-mère. Et moi.

J'ai eu une bouffée de bonheur.

— Cela me vient de ma famille.

Un sens profond d'appartenance et de continuité m'a fait rougir de satisfaction. Doucement, j'ai déposé l'athamé sur le lit de Robbie.

Puis, j'ai sorti un vêtement de soie vert foncé. En le dépliant, j'ai reconnu les plis d'une tunique.

— Super, a dit Robbie en la touchant du bout des doigts.

J'ai hoché la tête, émerveillée. La tunique avait la forme d'un grand rectangle, avec une ouverture pour la tête et des nœuds en soie aux épaules.

— On dirait une toge, ai-je dit en l'étalant sur ma poitrine.

Robbie me regardait d'un air interrogateur. Je lui ai souri, car je savais que j'enfilerais la tunique pour voir son effet sur moi ; mais je le ferais chez moi, derrière une porte close.

La broderie était magnifique : nœuds celtiques, dragons, pentacles, runes, étoiles et plantes stylisées, tout en fils or et argent. C'était une œuvre d'art, et je n'avais aucun mal à imaginer combien Maeve avait été fière de la recevoir en héritage de sa mère, et de la porter la première fois qu'elle avait présidé à un rituel. Pour autant que je sache, Mackenna était toujours grande prêtresse de Belwicket lorsque le cercle avait été détruit.

— C'est incroyable, s'est exclamé Robbie.

— Je sais. Je sais.

J'ai replié soigneusement la tunique et l'ai mise de côté. J'ai ensuite sorti quatre petits bols en argent, gravés eux aussi de symboles celtiques. J'y ai reconnu les runes de l'air, du feu, de l'eau et de la terre, et je savais que ma mère biologique s'en était servie pour son cercle.

J'ai sorti une baguette en bois noir. De fines lignes d'or et d'argent avaient été martelées dans le manche, et l'embout était surmonté d'une grosse boule de cristal. Quatre petites pierres rouges encerclaient le manche sous le cristal, et je me suis demandé s'il s'agissait de vrais rubis.

Cachés tout au fond, d'autres cristaux et d'autres pierres, une plume et une chaîne en argent avec un charme de Claddagh : deux mains portant un cœur surmonté d'une couronne. C'était cocasse : maman — ma mère adoptive — possédait un anneau de Claddagh, que papa lui avait offert l'année dernière pour leur 25e anniversaire. La chaîne était chaude et lourde entre mes doigts.

Je regardais tous ces outils. Tant de trésors, tant de générosité. Tout cela était à moi : mon véritable héritage, rempli de magye, de mystère et de pouvoir. Je n'en pouvais plus de joie, mais d'une manière que je n'aurais jamais pu expliquer à Robbie… d'une manière que je ne m'expliquais pas à moi-même.

— Il y a deux semaines, je ne possédais rien de ma mère biologique, me suis-je entendue dire. Maintenant, j'ai son Livre des ombres et tout ceci en plus. Tu comprends, ce sont des objets qu'elle a touchés, dont elle s'est servie. Ils sont remplis de sa magye. Et ils sont à moi ! C'est incroyable.

Robbie a secoué la tête, les yeux écarquillés.

— Ce qui est vraiment incroyable, c'est que tu les aies découverts grâce à la divination !

— Je sais, je sais, dis-je, au comble de l'excitation. En fait, c'était comme si Maeve avait décidé de me rendre visite, de me livrer un message.

— Vraiment incroyable, répétait Robbie. Maintenant, as-tu dit qu'ils n'ont pas pratiqué la magye tout le temps qu'ils étaient en Amérique ?

— C'est ce que j'ai lu dans son Livre des ombres. Mais je n'ai pas encore tout lu.

— Mais elle a quand même emporté tout cela avec elle ? Sans s'en servir ? Cela a dû lui demander un effort considérable.

— Ouais, ai-je répondu, Tandis qu'un inexplicable malaise avait commencé à ternir mon bonheur. Je suppose qu'elle ne supportait pas d'abandonner ses instruments de magye, même si elle savait qu'elle ne pourrait plus jamais s'en servir.

— Peut-être savait-elle qu'elle aurait un bébé, a suggéré Robbie, et s'est-elle dit qu'au moment venu, elle les lui léguerait. Ce qu'elle a fait.

J'ai haussé les épaules.

— Ça se peut, ai-je répondu pensivement. Je ne sais pas. Je trouverai peut-être une explication dans son livre.

— Je me demande si elle croyait se protéger en ne s'en servant pas, a repris Robbie, songeur. Si elle les avait utilisés, peut-être qu'on aurait pu découvrir son identité ou savoir plus rapidement où elle se cachait.

Je l'ai regardé, puis j'ai regardé mon trésor.

— Peut-être bien, ai-je articulé lentement.

Mon malaise allait en grandissant.

— Peut-être est-ce toujours dangereux de posséder ces objets. Je ne devrais peut-être pas y toucher ; ou peut-être devrais-je les remettre là où je les ai pris.

— Je ne sais pas, a dit Robbie. Maeve t'a indiqué où ils étaient cachés. Elle ne t'a pas mise en garde, non ?

J'ai fait signe que non.

— Non. Dans ma vision, c'était quelque chose de positif. Aucune mise en garde.

J'ai replié la tunique avec soin et je l'ai remise dans le coffret avec la baguette, l'athamé et les quatre coupes. Puis j'ai rabattu le couvercle. Il fallait absolument que j'en parle à Cal, mais également à Alyce ou David, la prochaine fois que je les verrais.

— Alors, est-ce que tu vois Cal ce soir ? a demandé Robbie en souriant. Il n'en reviendra pas !

L'excitation me reprenait.

— Je sais. J'ai trop hâte d'entendre ce qu'il a à dire de tout cela. Au fait, je ferais mieux d'y aller. Il faut que je me douche et que je me change. Est-ce que tu vas au cercle de Bree ce soir? ai-je demandé, hésitante et me mordillant la lèvre.

— Oui, a répondu Robbie simplement, se levant et se dirigeant vers le vestibule. Ça se passe chez Raven.

— Hum, ai-je fait en enfilant mon manteau et en ouvrant la porte, mon coffret sous le bras. Sois prudent, OK ? Et merci de m'avoir accompagnée aujourd'hui. Je n'aurais pu le faire sans ton aide.

J'ai serré Robbie dans mes bras très fort, et il m'a donné des petites tapes dans le dos, maladroitement. Puis je l'ai salué et suis remontée dans ma voiture.

Je repensais à tout cela en mettant la clé dans le contact : les outils de ma mère biologique. J'avais en ma possession les outils que ma mère biologique avait utilisés, et sa mère, et la mère de sa mère, et ainsi de suite, pendant des centaines d'années sans doute… si les initiales sur l'athamé représentaient toutes les grandes prêtresses de Belwicket. J'avais un sentiment d'appartenance, d'histoire familiale ; un sentiment qui, je le savais, avait toujours fait défaut dans ma vie, jusqu'à maintenant. J'aurais voulu pouvoir me rendre en Irlande pour rechercher leur cercle et leur ville, et découvrir ce qui s'était réellement passé. Peut-être un de ces jours…

18

Les sigils

22 janvier 1999

Maintenant, je sais. Linden, mon frère, 15 ans à peine, est mort. Déesse, aide-moi, je suis seul avec Alwyn. Et ils disent que je l'ai assassiné.

Je relis les mots que je viens d'écrire, et cela n'a aucun sens que Linden soit mort. Je suis accusé du meurtre de Linden.

Ils disent que mon procès va bientôt commencer. Je n'arrive plus à réfléchir. J'ai tout le temps mal à la tête, et mon corps rejette tout ce que j'avale. J'ai perdu beaucoup de poids et je peux compter mes côtes.

Mon frère est mort.

Lorsque je le regardais, je voyais le visage de ma mère. Il est mort et on me dit coupable, même s'il est impossible que j'aie pu faire une chose pareille.

— Giomanach

À l'heure où je suis rentrée, il n'y avait personne d'autre à la maison. J'étais contente d'être seule; il m'était venu une idée sur le chemin du retour, et je voulais la tester en privé.

Mais je devais d'abord prendre certaines précautions. J'ai pris un tournevis dans la boîte à outils de mon père, puis j'ai transporté le coffret contenant les outils de Maeve sur le palier à l'étage. J'ai dévissé le couvercle du ventilateur, je l'ai retiré du mur, et j'ai déposé le coffret dans l'ouverture. En remettant le couvercle bien en place, il serait complètement invisible. Je le savais, car ce coin m'avait servi de cachette au fil des années : j'y avais caché mon premier journal, et la poupée préférée de Mary K., après une terrible dispute.

Cependant, avant de refermer le ventilateur, j'ai pris l'athamé, le magnifique athamé antique où étaient gravées les initiales de ma mère. J'aimais le fait que mes initiales soient les mêmes que les siennes et que celles de ma grand-mère. En descendant l'escalier, je caressais des doigts le manche sculpté de l'athamé.

Environ une semaine plus tôt, j'avais cherché des renseignements en ligne sur la Wicca, et j'étais tombée sur un vieil article écrit par une certaine Helen Firesdaughter. Elle y décrivait les outils traditionnels de la sorcellerie et leur usage. L'athamé, disait l'article, était associé au feu. On s'en servait pour diriger l'énergie et pour symboliser le changement et le provoquer. On s'en servait également pour illuminer, pour ramener les objets cachés à la lumière.

J'ai pris mon manteau et je suis sortie dehors, dans le froid nocturne. Un bref regard d'un bout à l'autre de la rue m'a permis de m'assurer que personne ne m'observait. Tenant l'athamé devant moi comme un détecteur de métal, j'ai entrepris de faire le tour de la maison. Je passais lentement l'antique lame sur l'appui des fenêtres, sur les portes, les bardeaux, tout ce que je pouvais toucher.

J'ai trouvé le premier sigil sur la rampe du porche. À l'œil nu, impossible de dire qu'il y avait quelque chose à cet endroit, mais en passant l'athamé au-dessus, la rune a rougeoyé très faiblement, diffusant une lumière magyque bleuâtre et éthérée. J'avais la gorge serrée. C'était donc ça. Je tenais la preuve que Sky et Hunter avaient fait de la magye ici, hier soir. J'ai tracé des lignes et des courbes avec mon doigt : Peorth, la rune représentant les objets cachés révélés.

J'ai pris une profonde respiration, essayant de rester calme et rationnelle. Peorth. Quoi qu'il en soit, cela ne me disait pas grand-chose de leurs manigances. Il fallait que je poursuive ma recherche.

Pendant que je faisais le tour de la maison, d'autres sigils rougeoyaient sous la lame de l'athamé. Daeg, pour l'éveil et la clarté. Eoh, le cheval, qui représente un changement quelconque. Othel, pour le droit de naissance, l'héritage. Et ensuite, sur les bardeaux, directement sous la fenêtre de ma chambre, j'ai trouvé la rune que j'appréhendais de trouver : le double hameçon de Yr.

Je l'ai regardée et j'ai senti comme un poing qui enserrait mes poumons. Yr. La rune de la mort. Cal m'avait dit qu'elle ne signifiait pas toujours la mort; qu'elle pouvait signifier un autre genre de fin. J'essayais de me réconforter en m'accrochant à cette possibilité. Mais j'avais un mal fou à m'en convaincre.

Puis, j'ai senti un picotement à la lisière de mes sens. Il y avait quelqu'un dans les environs. Et ce quelqu'un m'observait.

Je me suis retournée dans le gris crépuscule hivernal. Un lampadaire isolé projetait un cône de lumière jaune sur le trottoir. Mais je ne voyais aucune ombre, pas l'ombre d'un mouvement nulle part, pas même avec ma vision magyque. Je ne sentais même plus la présence. Était-ce le fruit de mon imagination ? Est-ce que je sentais des choses qui n'existaient pas vraiment ?

Je l'ignorais. Tout ce que je savais, c'était que soudainement, je ne supportais plus d'être dehors, seule. Je ne le supporterais pas une seconde de plus. Tournant les talons, je suis rentrée à toute vitesse et j'ai verrouillé la porte derrière moi.

* * *

Lorsque Cal est arrivé, je m'étais suffisamment calmée pour être excitée à l'idée de passer une soirée d'anniversaire spéciale.

— Qu'est-ce qui a changé chez toi ? m'a-t-il demandé sur le pas de la porte, souriant et l'air intrigué. Tu es différente. Tes yeux sont différents.

— Je me suis maquillée, ai-je répondu en battant des paupières. Mary K. a fini par m'influencer. Pourquoi pas ? C'est une occasion spéciale après tout !

Il a ri et m'a prise par le bras pour m'emmener jusqu'à sa voiture.

— Eh bien, tu es superbe, mais ne te sens pas obligée de te maquiller pour moi.

Il m'a ouvert la portière, puis il a fait le tour de la voiture pour se mettre au volant.

— As-tu reçu mes messages ?

— Maman m'a dit que tu avais appelé, a-t-il répondu, sans mentionner mon message de sorcière. Désolé de t'avoir manquée. J'avais des courses à faire, de mystérieuses courses d'anniversaire, si tu vois ce que je veux dire, a-t-il ajouté en remuant les sourcils de haut en bas.

Je lui ai souri, mais j'avais surtout hâte de lui raconter les événements des 24 dernières heures.

— J'ai passé une journée passablement mouvementée, sans toi. En fait, j'ai eu deux journées remplies de surprises, ai-je dit en rentrant le cou dans mon manteau.

— Qu'est-ce qui s'est passé ?

Dès que j'ai ouvert la bouche, les mots en sont sortis pêle-mêle, comme une avalanche : les phares qui m'avaient fait perdre la maîtrise de ma voiture, la divination par le feu, Sky et Hunter autour de chez moi, la veille au soir. Cal me jetait des regards déconcertés, choqués ou courroucés. À la fin, je lui ai servi ma pièce de résistance : la découverte des instruments de Maeve.

— Tu as découvert le matériel de magye de ta mère ? s'est-il écrié.

La voiture a failli faire une embardée. Je me suis demandé une seconde si elle n'allait pas finir comme Das Boot. Heureusement, nous tournions dans son entrée..

J'ai levé les mains et j'ai souri.

— Moi-même, je n'arrive pas à le croire.

Il avait arrêté le moteur et restait assis là, à me regarder, éberlué.

— Les as-tu apportés ?

— Non. Je les ai cachés dans la niche du ventilateur. Puis, juste avant ton arrivée, papa a décidé de réparer un petit appareil électrique dans le passage, et je n'ai pu les récupérer.

Cal m'a regardée, l'air amusé.

— Derrière la niche du ventilateur, a-t-il répété, et je n'ai pu m'empêcher d'en rire avec lui.

À bien y penser, c'était une cachette plutôt idiote pour du matériel de magye.

— Bon, ce n'est pas bien grave. Tu me les montreras demain.

— Alors, que penses-tu de mon accident ?

— Je ne sais pas. Ça aurait pu être un chauffard un peu trop pressé. Mais si tu as eu peur, je pense que tu dois te fier à ton intuition ; et nous devrions commencer à poser des questions.

Son regard s'était durci, mais tout de suite après, il m'a fait un petit sourire inquiet.

– Pourquoi ne m'en as-tu pas parlé hier soir ? De ça, et de Hunter et Sky autour de la maison ?

– Je t'ai envoyé un message de sorcière. Mais tu n'es pas venu. Je me demandais si Sky avait pu l'empêcher de passer d'une manière ou d'une autre.

Cal a froncé les sourcils, puis s'est frappé le front.

– Non, ce n'est pas ça. Je sais exactement ce que c'était. Avec maman, nous avons pratiqué un puissant rituel d'évitement durant notre cercle, juste au cas où des gens comme Sky ou Hunter chercheraient à nous espionner. C'est ce qui a bloqué tes messages. Zut ! je suis vraiment désolé, Morgan. Il ne m'est jamais venu à l'idée que tu pourrais essayer de me joindre.

– Ça va. Il ne m'est rien arrivé.

Je frémissais en me rappelant la terreur que j'avais éprouvée la veille.

– À tout le moins, rien de permanent.

En arrivant chez lui, nous avons croisé Selene qui sortait. Elle était enveloppée dans une grande cape de velours noir qui balayait le sol et portait d'éclatantes améthystes violettes au cou et aux oreilles. Comme toujours, elle était éblouissante.

— Bonne soirée, mes chéris, a-t-elle dit en souriant.

Elle dégageait un parfum délicieux qui donnait une impression de maturité, de richesse. À côté de cela, ma touche d'huile de patchouli avait quelque chose de naïvement hippie.

— Vous êtes très belle, ai-je dit, sincère.

— Merci, Miss anniversaire. Toi aussi, m'a-t-elle répondu, en enfilant ses gants noirs, et en lançant à Cal un regard entendu, elle a ajouté : Je vais dans une soirée. Je ne rentrerai pas tôt; alors, soyez sages.

J'étais un peu embarrassée, mais Cal s'est contenté de rire. Aussitôt que Selene a eu passé la porte, nous avons grimpé l'escalier menant à sa chambre, au troisième étage.

— Hum, qu'est-ce que ta mère s'imagine que nous pourrions faire? ai-je demandé maladroitement.

Mes pas étaient étouffés par l'épaisse moquette de l'escalier.

— Je suppose qu'elle pense que nous pourrions faire l'amour, a dit Cal.

À en juger par le ton de sa voix, on aurait dit qu'il était en train de parler de passer la soirée à jouer à des jeux de société. Il m'a lancé un sourire désinvolte..

J'ai failli débouler l'escalier.

— Euh, est-ce que ça la… tu sais… dérangerait ? ai-je balbutié, en m'efforçant d'avoir l'air calme.

Mais j'étais dans mes petits souliers. Les parents de tous mes amis seraient aux abois à l'idée que leurs enfants fassent l'amour sous leur toit. Peut-être pas ceux de Jenna... Mais tous les autres.

— Non, a dit Cal. Dans la Wicca, faire l'amour ne signifie pas la même chose que dans les autres religions. Entre nous, c'est vu comme la célébration de l'amour, de la vie ; comme la reconnaissance du Dieu et de la Déesse. C'est une chose belle et spéciale.

— Oh !

Je sentais mon sang bouillonner. J'ai hoché la tête, essayant d'avoir l'air sûre de moi.

Cal a fermé la porte. Puis il m'a attirée vers lui pour m'embrasser.

— Je suis désolé de ne pas avoir été là pour toi hier soir, a-t-il dit dans un souffle, ses lèvres collées aux miennes. Je sais que j'ai été pas mal pris par les affaires de ma mère dernièrement. Mais à partir de maintenant, je vais tout faire pour me rendre plus disponible.

— Bien, ai-je fait en me pendant à son cou.

Il m'a tenue dans ses bras un long moment, puis, doucement, s'est détaché de moi pour prendre des allumettes sur la table de chevet à côté de son lit. Je l'ai regardé allumer les chandelles, jusqu'à ce que des flammes minuscules vacillent tout le tour de la chambre. La lueur des chandelles soulignait la cheminée, le dessus de chaque étagère de livres, le plancher ; il y avait même un chandelier très ancien qui descendait du plafond. Quand il a éteint les plafonniers, nous nous sommes retrouvés dans un délicieux cocon rougeoyant. C'était comme dans un rêve, beau et romantique à souhait.

Ensuite, Cal s'est approché de son bureau de bois sombre, où une bouteille de cidre mousseux était posée à côté d'un bol rempli de fraises d'un rouge extraordinaire, et d'un autre bol de chocolat fondu. Il a versé le cidre dans deux verres et m'en a tendu un.

— Merci. C'est incroyable !

Le cidre léger me chatouillait la gorge de ses petites bulles étoilées.

Il s'est assis à côté de moi et nous avons bu tranquillement.

— J'ai trop hâte de voir le matériel de Maeve, a dit Cal, en me caressant les cheveux sur la tempe. Ne serait-ce que pour leur valeur historique, c'est comme découvrir la tombe de Toutânkhamon.

J'ai ri.

— La version wiccane de la tombe du roi Toutânkhamon. Ce qui me rappelle que j'ai omis un détail.

Déposant mon verre sur la table, je me suis relevée pour prendre mon manteau et sortir l'athamé de la poche avant. Je l'avais enveloppé dans un mouchoir. Sans dire un mot, je l'ai tendu à Cal en surveillant sa réaction, pendant que je me rassoyais près de lui.

— Déesse, a-t-il chuchoté en le découvrant.

Il avait les yeux brillants et un sourire ébahi.

— Oh, Morgan, c'est magnifique.

— Je sais, n'est-ce pas extraordinaire, ai-je dit, toute réjouie de le voir aussi excité.

Ses doigts caressaient les initiales gravées dans la lame.

— Demain… a-t-il amorcé d'un air absent, avant de lever les yeux vers moi. Demain, a-t-il repris plus fermement, je vais avoir une grosse journée. Pour commencer, il faut que je trouve Hunter et Sky et que je leur dise de te ficher la paix. Ensuite, il faudra que j'aille chez toi pour enlever tous leurs sigils, si je le peux. Ensuite, je pourrai saliver devant les instruments de ta mère.

— Oh, c'est une charmante image, ai-je dit en riant. Merci.

Il a ri avec moi, puis nous nous sommes adossés pour nous embrasser et savourer notre cidre. *C'est magyque*, ai-je pensé, rêveuse, en le regardant.

Cal m'a embrassée de nouveau, plongeant ses yeux dorés dans les miens, puis il s'est levé.

– Cadeaux ! a-t-il lancé, en faisant quelques pas dans la pièce.

Il m'a fallu une seconde pour remarquer la pile de cadeaux superbement emballés qui m'attendaient sur la grande table adossée au mur.

– Qu'est-ce que tu as fait ? ai-je demandé en portant la main à ma gorge, où son pentacle d'argent pendait toujours contre ma peau.

C'était le premier présent qu'il m'avait offert, et je le chérissais d'autant plus.

Tout sourire, il est venu les étaler devant moi, sur le lit. J'ai avalé une autre gorgée de cidre.

Pour commencer, j'ai pris une boîte rectangulaire que j'ai déballée lentement.

– C'est déjà un peu redondant, a dit Cal.

Dans la boîte, il y avait l'athamé en argent que nous avions vu chez Magye pratique, celui sur lequel étaient gravés des roses et un crâne. En l'effleurant du bout des doigts, j'ai levé les yeux :

— Il est adorable.

— Ce sera ton athamé de réserve, a-t-il dit gaiement. Ou un couteau à gâteau. Ou un coupe-papier.

— Merci.

— Je voulais qu'il soit à toi, a dit Cal. Au suivant.

Il m'a tendu une petite boîte, et j'ai eu le souffle coupé en y découvrant une fabuleuse paire de boucles d'oreilles en argent serti d'œils-de-tigre. Les pierres étaient si semblables aux yeux de Cal, que j'ai plongé mes yeux dans les siens pour le simple plaisir de comparer.

— C'est tellement beau !

— Mets-les, a dit Cal soudainement empressé ; ce sera comme si j'étais toujours avec toi.

Puis il a repoussé mes cheveux pour exposer mes lobes d'oreilles.

Je tenais les boucles sans plus savoir quoi dire.

— Tu n'as pas les oreilles percées ! s'est exclamé Cal, étonné.

— Je sais, ai-je marmonné comme pour m'excuser. Ma mère nous a emmenées, Bree et moi, pour nous faire percer les oreilles, quand nous avions 12 ans, mais j'ai eu la trouille.

— Oh, Morgan, je suis désolé, a dit Cal en riant. C'est ma faute. Comment se fait-il que je ne l'aie pas remarqué avant aujourd'hui. J'aurais dû choisir autre chose. Donne, je vais les rapporter et les échanger.

— Non ! ai-je lancé en refermant la boîte. Je les aime, c'est ce que j'ai vu de plus beau de toute ma vie. De toute façon, je m'étais promis de me faire percer les oreilles un de ces jours. Ces boucles vont me donner le courage qui me manquait.

Cal m'a regardée, l'air dubitatif, mais il a décidé de me croire sur parole.

— Hum, bon, d'accord.

Puis, d'un mouvement de tête, il m'a indiqué un autre cadeau.

Venait ensuite un livre sur l'invention des charmes, superbement illustré. Il comprenait une brève histoire de la fabrication des sortilèges et toute une section d'exemples d'utilisation des charmes et des envoûtements. On y trouvait également comment individualiser ceux-ci pour une situation donnée.

— Oh, c'est génial ! ai-je dit, tout excitée, en le feuilletant. C'est parfait.

— Je suis content que tu l'aimes. Nous pourrions en essayer quelques-uns, si tu veux les mettre en pratique.

Je hochais la tête rapidement, comme une enfant qui trépigne d'impatience, et il a éclaté de rire.

— Et enfin, a-t-il dit en me tendant une boîte de grosseur moyenne.

— Encore ?

J'avais du mal à le croire. Je commençais à me sentir trop gâtée. Dans cette boîte, il y avait un corsage en batik dans des tons doux de lavande, de violet et de prune. On aurait dit le soleil qui se couchait avant la tempête. Je caressais le tissu du bout des doigts, m'abreuvant de ses couleurs, entendant presque le grondement du tonnerre et de la pluie.

— Je l'adore, ai-je dit en me penchant pour serrer Cal dans mes bras. J'aime tout. Merci mille fois !

J'avais la gorge serrée par l'émotion. Une fois de plus, j'avais un sentiment d'appartenance, de pur contentement.

— Ce sont les plus beaux cadeaux d'anniversaire qu'on m'ait jamais offerts.

Cal m'a souri gentiment, puis nous nous sommes enlacés, allongés sur son lit. Tout en l'embrassant, je tenais sa tête fermement, mes doigts enfoncés dans ses cheveux noirs.

— M'aimes-tu ? a-t-il chuchoté contre mes lèvres.

J'ai hoché la tête, au comble du bonheur. Je le serrais très fort contre moi, n'aspirant plus qu'à être plus proche encore.

Le cidre, les chandelles, le léger parfum d'encens, la douceur de sa peau sous mes mains : c'était comme s'il m'entourait d'un filtre d'amour qui me rendait toute molle, brûlante de désir physique. Et pourtant… et pourtant. Je persistais à garder une infime distance entre nous. Malgré l'amour que j'éprouvais pour lui, malgré l'intense émoi qu'il éveillait en moi, je me sentais hésitante.

Lentement, pendant que nous nous embrassions, je me surprenais à penser que je n'étais pas tout à fait prête à me donner à lui corps et âme. Même si nous étions sans doute des *mùirn beatha dàn,* je n'étais pas encore prête à faire l'amour avec lui, à m'abandonner totalement au point de m'unir à lui physiquement et mentalement. J'ignorais pourquoi, mais il fallait que je me fie à mes sens.

– Morgan, a dit Cal doucement, en se soulevant sur un coude et en me regardant droit dans les yeux.

Il était incroyablement beau, le plus bel homme que j'avais jamais vu. Il avait les joues rouges et les lèvres d'un rose gourmand qu'on avait envie d'embrasser. C'était impossible que lui et Hunter soient des frères, pensais-je au fin fond de moi, tout en me demandant pourquoi je pensais à Hunter, à ce moment-là. Hunter était méchant et dangereux; il mentait.

— Viens, a dit Cal, d'une voix rauque, sa main me caressant la taille à travers ma robe noire.

— Euh...

— Qu'est-ce qui ne va pas ? a demandé Cal dans un souffle.

J'ai soupiré, ne sachant pas quoi dire. Il avait mis une jambe sur la mienne pour m'attirer plus près et il appuyait sa main dans mon dos en mouvements caressants. Il avait enfoui son nez dans mon cou, pendant que sa main remontait sur mon ventre, jusque sous mes seins. Je me sentais merveilleusement bien ; j'essayais de m'abandonner, de me laisser transporter par ces délicieuses sensations. J'allais avoir 17 ans demain ; c'était le temps. Mais... je ne pouvais tout simplement pas...

— Morgan ? Il y avait une interrogation dans sa voix, et j'ai levé les yeux vers lui.

Puis, repoussant une mèche de cheveux qui me barrait le visage, il a murmuré :

— Je veux te faire l'amour.

19

Un cercle de deux

Ils m'incitent à m'unir à elle. Et je veux le faire. Déesse, je le veux tant. Elle est un papillon, un bouton de fleur, un rubis pur, taillé à même une pierre brute. Et je peux l'améliorer encore. Je peux faire en sorte qu'elle capte le feu, afin que son pouvoir illumine tout ceux qui la côtoient. Je peux lui enseigner, l'aider à atteindre sa magye intérieure profonde. Ensemble, rien ne pourra nous arrêter.

Qui aurait pensé que cela pouvait arriver ? De prime abord, nul n'aurait pu voir la tigresse qui se cachait en elle. Son amour me dévore, sa constance me fait honte, sa beauté et sa puissance attisent mon désir.

Elle m'appartiendra. Et je lui appartiendrai.

— Sgàth

J'ai regardé Cal ; je l'aimais, mais je me sentais terriblement perdue.

— Je pensais que tu avais envie de moi, toi aussi, a-t-il repris calmement.

J'ai fait signe que oui. C'était vrai, en tout cas en partie. Mais ce que ma tête voulait était une chose, et ce que mon corps voulait était autre chose.

— Si tu as peur de tomber enceinte, je serai prudent, a-t-il promis. Je ne te ferai certainement pas mal.

— Je sais.

Je sentais les larmes me monter aux yeux et je voulais les retenir. Je me sentais nulle et je ne savais pas pourquoi.

Cal a roulé sur le dos, le bras reposant sur son front et il m'a regardée.

— Qu'est-ce que c'est alors ?

— Je ne sais pas. En fait, j'en ai envie, mais je ne peux pas. Je ne me sens pas prête.

Libérant son autre bras, il m'a pris la main, passant et repassant son pouce dans ma paume machinalement. Puis il s'est redressé et s'est assis en tailleur en face de moi. Je me suis assise à mon tour et lui ai demandé s'il était fâché.

— Je vais survivre. Ne t'en fais pas pour ça, a-t-il répondu avec un sourire narquois. Je… ça va…

— Je suis désolée, ai-je dit, malheureuse comme les pierres. Je ne sais pas ce que j'ai.

Il s'est penché vers moi et m'a embrassée ; puis, repoussant une mèche de cheveux, il a déposé un tendre baiser sur ma nuque. La chaleur de son baiser m'a fait tressaillir.

— Tu n'as rien du tout, a-t-il murmuré. Nous passerons notre vie ensemble. Il n'y a pas d'urgence. Quand tu seras prête, je serai là.

J'ai dégluti. Je craignais, si j'ouvrais la bouche une fois encore, de me mettre à pleurer pour de bon.

— Si nous faisions un cercle, a proposé Cal, en me massant la nuque pour enlever les tensions. Pas un cercle rond, rien qu'une méditation conjointe. C'est une autre manière de nous rapprocher. OK ?

— OK, ai-je dit d'une voix étranglée.

Je me suis rapprochée de lui et j'ai mis mes mains dans les siennes. Ensemble, nous avons fermé les yeux et commencé à calmer tous nos sens, un à un : émotions, sensations, conscience du monde extérieur. J'étais mal à l'aise d'avoir refusé de coucher avec lui, mais j'ai délibérément lâché prise par rapport à ce malaise : je l'ai quasiment vu retomber loin de moi. J'avais les yeux moins humides, la gorge moins serrée.

Graduellement, nos respirations, synchronisées, ont fini par se calmer. J'avais médité presque tous les jours, et je n'avais aucune difficulté à me laisser glisser dans une légère transe. J'ai perdu la sensation de toucher Cal : nous nous sentions unis, respirant à l'unisson, coulant à l'unisson dans un lieu de repos et de paix profonde. C'était une libération.

Je prenais soudain conscience de la force d'esprit de Cal, qui s'alignait sur la mienne, et cette sensation était très excitante et intime. C'était extraordinaire que nous puissions partager cela, et je pensais à tous ces non-sorcières, dans le monde, qui n'atteindraient sans doute jamais un tel degré d'intimité avec la personne aimée. J'ai lâché un long soupir de satisfaction.

Durant notre méditation, je sentais les pensées de Cal ; je lisais l'intensité de sa passion, je sentais son désir pour moi et j'en avais la chair de poule. Je sentais son admiration pour ma force en matière de magye, de même que sa hâte de me voir progresser, devenir de plus en plus puissante, aussi puissante que lui. J'essayais de lui communiquer mes pensées, sans savoir s'il me lisait comme je le lisais. J'exprimais mes désirs et mes espoirs relativement à notre avenir ensemble ; j'essayais de laisser des vagues d'émotion pure transporter mes sentiments comme aucune parole n'aurait pu le faire.

Nous avons fini par nous séparer, comme deux feuilles s'éloignant l'une de l'autre en tombant. J'ai réintégré mon corps, et nous sommes restés là un long moment, les yeux dans les yeux. Jamais je ne m'étais sentie aussi intensément liée à quelqu'un. Je le savais. Mais le fait de le savoir me rendait aussi vulnérable et nerveuse. J'ai demandé :

— As-tu aimé ?

— J'ai adoré, a-t-il répondu, le sourire aux lèvres.

Je l'ai regardé encore un moment, me perdant dans ses yeux, savourant le silence et le rougeoiement des chandelles. Puis lentement, j'ai pris conscience du tic tac de l'horloge et j'ai levé les yeux.

— Oh, mon Dieu, il est 1 h ?

— Hum, a fait Cal après avoir regardé l'heure. As-tu un couvre-feu ?

Je me levais déjà.

— Pas officiellement, ai-je répondu en cherchant mes chaussures. Mais je suis censée appeler si je rentre après minuit. Si j'appelle maintenant, je vais les réveiller, c'est sûr.

Rapidement j'ai empilé mes cadeaux, puis j'ai retrouvé l'athamé de Maeve et l'ai remis dans la poche de mon manteau. Nous avons dévalé l'escalier. Arrivée en bas, j'ai eu un pincement au cœur ; je voulais rester *ici*, dans la chaleur et le confort de la chambre de Cal, avec lui.

En sortant, un vent froid m'a fouetté le visage, et j'ai gémi en remontant mon col.

Tête baissée, nous avons marché jusqu'à la voiture.

— On devrait peut-être appeler tes parents et leur dire que tu passes la nuit ici, a suggéré Cal avec un sourire moqueur.

J'ai ri en pensant à la tête que feraient mes parents ; puis j'ai soigneusement déposé mes présents sur la banquette arrière. Mais juste au moment où j'allais m'asseoir, j'ai entendu venir une voiture et je me suis figée sur place. La main sur la poignée de la portière, Cal avait l'air perplexe. Il paraissait tendu, sur ses gardes.

— Est-ce que c'est ta mère ?

— Ce n'est pas sa voiture.

À l'aide de ma vision magyque, j'ai jeté un œil aux phares qui se rapprochaient. Mon cœur a flanché. C'était une automobile grise. L'auto de Hunter.

Il a freiné devant nous.

— Oh, bon sang, qu'est-ce qu'il fait ici ? Il est 1 h du matin !

— Va savoir, a répondu Cal sèchement. De toute façon, j'ai des choses à lui dire.

Hunter est sorti de sa voiture sans arrêter le moteur et s'est planté devant nous. Sa silhouette se découpait dans la lumière des phares, mais je distinguais toute la gravité de son regard vert. Il semblait moins enrhumé.

— Allô, a-t-il dit.

Au seul son de sa voix, j'ai serré les poings.

— Quelle surprise de vous voir tous les deux ici. Comme c'est gênant.

— Pourquoi ? a demandé Cal d'une voix très basse. T'apprêtais-tu à mettre des sigils autour de la maison, comme tu l'as fait chez Morgan ?

J'ai vu un éclair de surprise traverser le visage de Hunter.

— Tu le savais, hein ? a-t-il dit en me regardant.

J'ai fait signe que oui en le fixant froidement.

— Que sais-tu encore ? a demandé Hunter. Par exemple, sais-tu ce que Cal veut de toi ? Ce que tu es pour lui ? Connais-tu la vérité sur quoi que ce soit ?

Sans détourner le regard, je cherchais une réplique cinglante. Mais encore une fois, la seule pensée qui m'est venue a été : *Pourquoi nous tourmente-t-il ainsi ?*

À côté de moi, Cal serrait les poings.

— Elle connaît la vérité. Je l'aime.

— Non. La vérité, c'est que tu as *besoin* d'elle. Tu as besoin d'elle parce qu'elle peut utiliser son pouvoir pour prendre la tête du Haut conseil et que, par la suite, tu pourras commencer à éliminer les autres clans, un par un. Parce que tu es un Woodbane, toi aussi, et franchement, les autres clans ne sont pas assez bien pour vous.

J'ai tourné les yeux vers Cal.

— De quoi parle-t-il ? Tu n'es pas un Woodbane ?

— Il divague, a grommelé Cal, en fixant Hunter avec mépris. Il invente pour me faire du mal. Tu peux renoncer à nous séparer. Elle m'aime et je l'aime, a-t-il continué en me serrant contre lui.

Hunter a éclaté de rire et on aurait dit du verre qui se fracassait.

— Quel fourbe, a-t-il craché. Elle est ton paratonnerre, le dernier membre survivant de Belwicket, la grande prêtresse promise du plus puissant des clans Woodbane. Tu ne vois donc pas ? Belwicket avait renoncé à la magye noire ! Morgan ne consentira jamais à faire ce que vous voulez !

— Comment peux-tu savoir ce que je ferais ! ai-je crié, furieuse de l'entendre parler de moi comme si je n'étais pas là.

— Ça n'a rien à voir, a dit Cal en secouant la tête. Nous sommes ensemble, et tu n'y peux rien. Alors, tu peux retourner d'où tu viens et nous ficher la paix !

Hunter gloussait, l'air arrogant.

— Oh, non !, j'ai bien peur qu'il ne soit trop tard pour ça. Tu comprends, le Conseil ne me pardonnerait jamais d'avoir laissé Morgan entre tes griffes.

— Quoi ? hurlai-je presque. Je sors avec qui je veux, et le Conseil n'a pas un mot à dire. J'étais à peine au courant de l'existence du Conseil. Comment peuvent-ils en savoir autant sur moi ?

— Tu devrais avoir entendu parler du pardon, a lancé Cal. Après tout, le Conseil ne t'a jamais vraiment pardonné d'avoir tué ton frère, pas vrai ? Tu paies encore pour ça, non ? Tu essaies toujours de prouver que ce n'était pas ta faute.

Je les regardais tour à tour. Je n'avais pas la moindre idée de ce dont Cal parlait, mais sa voix me terrifiait. C'était celle d'un étranger.

— Va au diable, a grondé Hunter, le corps raide.

— Les wiccans ne croient pas au diable, a répliqué Cal dans un souffle.

Rouge de fureur, Hunter s'avançait sur nous. D'un geste vif, Cal a pris l'athamé qu'il m'avait donné, parmi mes cadeaux étalés sur la banquette arrière. Mon pouls s'accélérait. Paniquée, je me disais : *Ce n'est pas possible ; cela ne peut pas se produire.* J'observais la scène, immobile, pendant que Cal s'éloignait de moi. Hunter nous regardait tour à tour.

— Tu me veux ? criait Cal pour l'attirer. Tu me veux, Hunter ? Alors, viens me chercher.

Puis, il a fait volte-face et est parti en courant vers le bois sombre qui bordait la propriété. J'ai cligné des paupières et il avait disparu, avalé par les arbres et l'obscurité.

Hunter scrutait l'orée du bois, les yeux fous de rage.

— Reste ici ! m'a-t-il ordonné, puis il est parti à la poursuite de Cal.

Je me suis arrêtée un moment, puis j'ai couru derrière eux.

20

Le traqueur

12 février 1999

Maintenant, avec de l'aide, je peux faire quelques pas dans la chambre. Mais je suis encore faible, tellement faible.

Mon procès commence demain.

J'ai raconté mon histoire encore et encore, ce dont je peux me souvenir. Je me suis réveillé au beau milieu de la nuit et j'ai constaté que Linden était parti. Je l'ai suivi jusqu'à la montagne, et lorsque je l'ai rejoint, il invoquait un esprit maléfique. C'est un sujet que nous avions abordé ces dernières années, dans notre quête de réponses concernant nos parents. Mais je n'avais pas conseillé à Linden de le faire, pas plus que je ne l'aurais laissé convoquer le Malin tout seul.

J'ai vu Linden, les bras tendus vers le ciel, la joie sur son visage. Les mauvais esprits lui tournaient autour, et j'ai couru vers lui. Je ne pouvais entrer dans le cercle sans l'aide de la magye; j'ai donc provoqué une fissure dans la force. Tout ce dont je me rappelle ensuite, c'est un cauchemar où je cherchais Linden, où je le retrouvais et où il s'effondrait dans mes bras; un spectre dévorant m'entourait; puis, j'étouffais, j'étais incapable de respirer, et je m'effondrais sur le sol froid pour y trouver la mort.

Ensuite, je me suis réveillé dans mon lit, chez oncle Beck et tante Shelagh, entouré de sorcières qui priaient pour mon rétablissement, après six jours d'inconscience.

Je sais que je n'ai pas tué mon frère; mais je sais que ma quête pour redresser les torts faits à ma famille est ce qui a causé sa mort. Pour cela, je pourrais être condamné à mort. À part le chagrin que je causerai à Alwyn, la mort sera la bienvenue, car il n'y a plus de vie pour moi, ici.

— Giomanach

Au moment où j'arrivais à l'orée du bois, la neige s'était remise à tomber. Pendant que nous étions à l'intérieur, Cal et moi, le ciel s'était chargé d'épais nuages gris qui cachaient la lune et les étoiles. Bon Dieu ! À l'évidence, Cal avait attiré Hunter pour me protéger, mais comment avait-il pu croire que je resterais là à attendre de voir ce qui allait se passer ? Je ne savais pas ce qu'il y avait entre ces deux hommes. Tout ce que je savais, c'était que je ne pardonnerais jamais à Hunter s'il faisait du mal à Cal.

La forêt était dense et sauvage, le sous-bois était épais et impossible à franchir. M'étant heurtée à une branche basse, je me suis arrêtée. Je n'avais aucune idée de la direction que Cal et Hunter avaient prise. Il faisait nuit noire et je tremblais comme une feuille. Il fallait que je respire lentement, que je me calme et que je me concentre. Je serrais et desserrais les poings, puis, fermant les yeux très fort, j'ai compté : un, deux, trois, en inspirant puis en expirant.

Quelques secondes après, j'ai ouvert les yeux et découvert que ma vision magyque était revenue ; je pouvais voir ce qu'il y avait autour de moi. Les arbres s'élançaient en lignes verticales, le sous-bois était défini, les oiseaux et les animaux nocturnes qui n'hibernaient pas brillaient d'un bel éclat jaune pâle. OK. En scrutant les environs, je n'ai eu aucun mal à retrouver le sentier que Hunter et Cal avaient tracé en s'enfonçant dans le bois : le sol était écrasé et de petites branches avaient été cassées.

J'ai suivi leurs traces en avançant aussi vite que je le pouvais. Mes pieds et mon nez étaient gelés ; la neige tombait, blanchissant la nature environnante. Peu à peu, j'ai perçu un faible martèlement rythmique. Ce n'était pas le sang qui coulait dans mes veines. Puis j'ai compris ce que c'était. Bien sûr. Selene et Cal vivaient aux confins de la ville ; leur maison reposait pour ainsi dire sur l'Hudson. L'eau était tout droit devant. J'ai accéléré le pas, m'agrippant aux branches pour me projeter en avant, butant sur les rochers, jurant.

— Je t'ordonne de me suivre !

C'était la voix de Hunter. Je me suis immobilisée, j'ai tendu l'oreille, puis je suis repartie et suis ressortie au bout d'une bande étroite, dépourvue d'arbres, qui courait parallèlement à la rivière. Hunter faisait dos à la falaise, et Cal avançait sur lui en brandissant mon athamé. Perdue dans un tourbillon de peur et de confusion, j'ai crié :

— Cal !

Ils se sont retournés en même temps, leurs visages méconnaissables dans la neige et l'obscurité.

— Reste où tu es ! m'a ordonné Cal en faisant un geste de la main.

Sous le choc, je me suis arrêtée net, comme si je venais de frapper un mur. Il m'avait jeté un sort.

L'instant d'après, Hunter a lancé une boule de lumière magique qui lui a arraché l'athamé des mains. Cal en est resté bouche bée. J'avais du mal à croire que cela se passait pour vrai, dans la vraie vie, et pas seulement sur un écran où les effets spéciaux étaient générés par ordinateur. S'éloignant du bord de la falaise, Hunter avançait sur Cal, qui s'étirait pour rattraper son couteau. J'essayais de bouger, mais j'avais l'impression d'être prisonnière d'une lourde couverture de laine. Mes jambes étaient de pierre. Les deux hommes se battaient au corps à corps dans la neige nouvellement tombée, leurs cheveux clairs et noirs balayant le sol dans la nuit noire.

— Arrêtez ! ai-je crié de toutes mes forces, mais ils m'ont ignorée.

Cal a cloué son adversaire au sol, puis a serré le poing avant de l'abattre sur le nez de Hunter, dont la tête a été projetée de côté. Un filet de sang rouge vif s'écoulait de son nez. La tache rouge sur la neige m'a rappelé le vin de communion qui avait été renversé dimanche dernier, et j'ai tressailli. Ce n'était pas bien. Cela n'aurait pas dû se produire. Ce genre de colère, de haine longtemps refoulée, c'était l'antithèse de la magye. Il fallait que je les sépare.

Rassemblant mes forces, je me suis imaginée brisant une coquille d'œuf pour m'en extirper et annuler le sort que m'avait jeté Cal. Cette fois, j'ai réussi à me mouvoir. L'athamé était à quelques mètres de moi, et je me suis précipitée pour le récupérer. Au même moment, Hunter a repoussé Cal. Nous nous sommes tous remis sur pied en même temps, le souffle court.

— Morgan, fous le camp d'ici ! m'a crié Hunter, sans quitter Cal des yeux. Je suis un traqueur, et Cal devra rendre des comptes au Conseil.

— Ne l'écoute pas, Morgan ! a rétorqué Cal.

Sur son poing, je voyais le sang de Hunter.

— Il est jaloux de tout ce que j'ai et il veut me faire du mal. Il te fera du mal à toi aussi.

— C'est un mensonge, a craché Hunter, furieux. Cal est un Woodbane, Morgan, mais contrairement à Maeve, il n'a pas renoncé à son côté obscur. Je t'en prie, va-t-en !

Cal s'est tourné vers moi et son chaud regard doré a croisé le mien. J'avais le cerveau engourdi, comme embrumé. J'ai cligné des yeux. Hunter a dit quelque chose que je n'ai pas entendu, et le temps a semblé ralentir. Qu'est-ce qui m'arrivait ? Impuissante, je regardais Hunter et Cal se tourner autour, les yeux brûlants, le visage hâve et dur.

De nouveau, Hunter a ouvert la bouche en agitant la main ; je la voyais flotter lentement dans l'air. Sa voix ressemblait au grognement d'un animal. Au ralenti, je les ai vus s'empoigner — comme si leurs mouvements avaient été chorégraphiés — et j'ai vu le poing de Hunter s'abattre sur le ventre de Cal. Cal était plié en deux. J'ai fait la grimace, mais j'étais prisonnière d'un cauchemar, incapable de les séparer. J'ai porté l'athamé à ma poitrine. J'avais un nœud qui me brûlait la gorge. Puis, j'ai touché le pentacle d'argent qui pendait à mon cou. Mais je ne pouvais m'approcher d'eux.

Cal s'est redressé. Hunter a tenté de lui donner un autre coup, mais il a raté sa cible. Cal lui a assené un coup de pied derrière le genou, et Hunter s'est écroulé. Des souvenirs me revenaient en mémoire tandis que ce dernier se relevait et se jetait sur Cal... Hunter me disant que Cal était un Woodbane, Hunter dans le noir devant ma maison, Hunter si plein de mépris et de haine.

Je revoyais Cal m'embrassant, me touchant, m'enseignant la magye. M'enseignant comment revenir sur terre après un rituel, m'offrant des présents. Je repensais à Bree criant après moi dans sa voiture sur le bord de la route, il y avait de cela si longtemps... Sky et Hunter ensemble. Ces images m'épuisaient ; c'était insoutenable. Je n'aspirais plus qu'à m'étendre dans la neige et à dormir. En tombant à genoux, j'ai senti un sourire se dessiner sur mes lèvres. Dormir, ai-je pensé. La magye devait être à l'œuvre, mais cela ne semblait pas importer.

Devant moi, les corps de Cal et de Hunter roulaient en direction de la rivière.

— Morgan.

Mon nom me parvenait doucement, à cheval sur un flocon de neige, et j'ai levé les yeux. L'espace d'un instant, j'ai croisé le regard de Cal, qui me fixait d'un air suppliant. Puis j'ai vu que Hunter avait cloué Cal au sol, lui écrasant la poitrine avec son genou. Il avait sorti une longue chaîne en argent et entourait les mains de Cal qui se tordait de douleur.

— Morgan.

J'ai senti une pointe aiguë de sa douleur. Haletante, je suis tombée en avant dans la neige en me tenant la poitrine. Puis, clignant rapidement des yeux, j'ai senti mes idées s'éclaircir.

— Il est entrain de me tuer. Aide-moi, Morgan !

Je n'entendais pas les mots qu'il prononçait, mais je les sentais dans ma tête, et je me suis redressée en m'aidant d'une main.

— Tu es fait, crachait Hunter furieusement, en tirant sur la chaîne en argent. Je t'ai eu.

— Morgan ! Le cri de Cal a déchiré la nuit enneigée et a fait voler mon calme en éclats.

Il fallait que je fasse quelque chose. Je devais me battre. J'aimais Cal, je l'avais toujours aimé. Je me suis remise debout avec difficulté, comme si j'avais dormi pendant des siècles. Je n'avais aucun plan ; je n'étais pas de taille à affronter Hunter, mais soudain, je me suis rappelé que je tenais toujours l'athamé, mon athamé d'anniversaire. Sans réfléchir, je l'ai lancé sur Hunter de toutes mes forces. Je l'ai regardé planer en dessinant un arc étincelant.

L'athamé a frappé Hunter à la nuque, a vacillé une seconde et est retombé. Hunter a porté la main à sa blessure en criant. Le sang s'écoulait de la plaie ouverte, rouge comme un coquelicot. Je n'arrivais pas à croire ce que je venais de faire.

À la seconde même, Cal s'est remis sur ses genoux et a frappé Hunter avec toute la violence dont il était capable. Hunter a reculé en hurlant, la main toujours sur sa plaie... puis il a perdu pied, et j'ai crié *Non ! Non ! Non !* au moment où il tombait, désarticulé, du haut de la falaise.

Frappée de stupeur, je regardais le vide.

– Morgan, aide-moi ! criait Cal. Enlève-moi ça ! Ça me brûle !

J'ai couru vers Cal et j'ai délié la chaîne d'argent qui lui enserrait les poignets. En la touchant, je n'ai senti qu'un léger picotement, mais j'ai vu des zébrures profondes et rouges aux poignets de Cal. Après avoir retiré la chaîne, je l'ai lancée dans la neige et me suis précipitée sur le bord de la falaise. Si je voyais le corps de Hunter au fond, sur les rochers, je savais que je vomirais, mais je me suis efforcée de regarder, songeant déjà à appeler le 911, à essayer de dévaler la falaise, me demandant si je me rappelais les principes de premiers secours que j'avais appris lorsque je travaillais comme gardienne d'enfants.

Mais je n'ai rien vu. Rien qu'un amas de rochers et les eaux grises et turbulentes.

Cal est arrivé à côté de moi. J'ai croisé son regard. Il avait l'air horrifié ; il était livide et faible.

— Déesse, il est déjà parti, a murmuré Cal. Il a dû tomber à l'eau, et le courant…

Il avait du mal à respirer, ses cheveux noirs mouillés de neige et de traces de sang.

— Il faut appeler quelqu'un, ai-je dit doucement, en tendant la main pour le toucher. Il faut parler à quelqu'un de Hunter. Et il faut soigner tes poignets. Crois-tu pouvoir marcher jusque chez toi ?

Pour toute réponse, Cal a secoué la tête.

— Morgan, a-t-il dit d'une voix brisée. Tu m'as sauvé.

De ses doigts enflés à cause des coups qu'il avait assenés à Hunter, il m'a caressé la joue et m'a dit tendrement :

— Tu m'as sauvé. Hunter allait me tuer, mais tu m'as protégé, comme tu avais promis de le faire. Je t'aime, a-t-il ajouté en m'embrassant, et ses lèvres étaient froides et goûtaient le sang. Je t'aime plus que je n'aurais jamais cru en être capable. C'est aujourd'hui que notre avenir commence réellement.

Je ne savais pas quoi dire. Mes pensées avaient cessé de tourbillonner ; elles s'étaient toutes évaporées en même temps. Ma tête était un grand trou vide. Je l'ai pris par la taille et nous avons repris le sentier dans la forêt. Je ne pouvais m'empêcher de jeter un œil derrière moi, vers la falaise. Toute cette histoire était dure à avaler, et je me concentrais pour mettre un pied devant l'autre, tandis que Cal s'appuyait sur moi et que nous titubions dans la neige.

Et tout à coup, je me suis rappelé que nous étions le 23 novembre.

Je me demandais quelle heure il pouvait être ; je savais qu'il était très tard. J'avais vu le jour à 2 h 17, dans la nuit du 23 novembre. J'en ai donc déduit que j'avais officiellement 17 ans. J'ai dégluti. C'était le premier jour de mes 17 ans. De quoi demain serait-il fait ?

De la même série

Livre 1

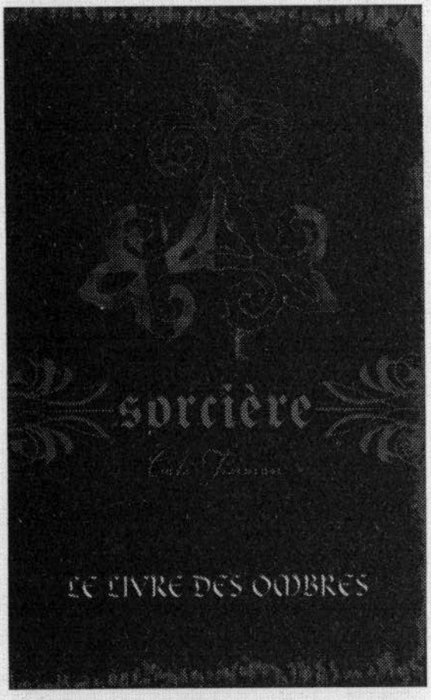

Livre 2

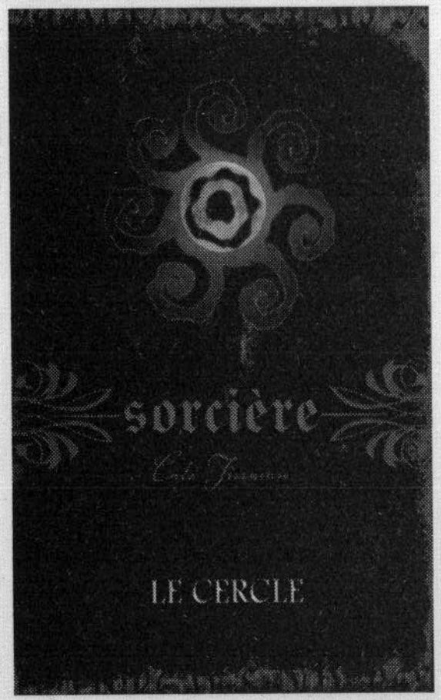